北極海

世界の文字分布地図

本書に収録した文字の
ごくおおまかな地域を示しました。

JN029948

大西洋

太平洋

ラテン文字

図説

世界の文字とことば

町田和彦

［編］

河出書房新社

漢字の一族 115

コラム

凡例
- 本書は、世界の言語から45の言語を選び、その言語で使われている文字の系統・種類によって4つの章に分け、それぞれの言語ごとに、その文字とことばの特色、歴史を述べたものです。タイトル部分では、使われている文字の名称と言語の名称（およびその言語系統）を示しました。コラムでは、すでに失われている言語の文字や特色ある文字を取り上げました。
- 図版は、原則として著者より提供されたものです。
- 各章のはじめでは、その章に取り上げた文字群の特色を述べました。ここに掲載している図版は、その章のなかの図版から選んでいます。
- 巻末に言語系統別の索引と言語別の索引をつけています。また、見返しにそれぞれの文字が使われているごくおおまかな地域を示した地図を収録しています。
- 協力：東京外国語大学アジア・アフリカ言語文化研究所 GICAS

はじめに──文字と言語

町田和彦

この本は、ちょっと変わった、世界の言語の紹介です。世界の言語を系統別に分類したものや、地域ごとの分布によって解説したものは今までもありましたが、この本では言語が書かれる文字の系統ごとにまとめられています。そのためフィンランド語の次にインドネシア語がきたり、韓国語／朝鮮語の前にジャワ語がきたりしています。

私たちが現在あたり前のように受け入れている言語と文字の組み合わせは、世界史上もっとも最近の言語の歴史と文字の歴史が交差した結果によるものです。書かれる文字の系統からもう一度世界の言語を眺めてみると、今まで気がつかなかった言語とそれを話す人々の歴史がよく見えてきます。

言語と文字

21世紀の現在、世界にはおよそ5000から7000の言語があるといわれています。一方、使われている文字の種類ははるかに少なく、主なものはその100分の1以下でしょう。文字の歴史は言語の歴史よりもぐっと新しく、現在知られている最古の文字でもせいぜい5000年前に遡れるていどです。この5000年の間に多くの文字が生まれ、様々な修正や追加を経てさらに多くの文字が派生しました。あるものは広く、あるものは限られた範囲で使われました。またあるものは長く使われ、あ

るものは短い期間で消滅していきました。中にはその存在すら忘れ去られたものも数多くあるはずです。

この本では、文字の系統を4種類に分類してあります。タイトル順に並べると、(1)「ギリシア文字の系譜」、(2)「アラム文字の末裔たち」、(3)「ブラーフミー文字の子孫たち」、(4)「漢字の一族」です。

現在使われている世界の文字が、言語の数に比して圧倒的に少ないだけでなく、わずか4種類の系統に収められてしまうこと自体驚きです。漢字を除く残りの3つの系統の始祖、ギリシア文字、アラム文字、ブラーフミー文字は、いずれもオリエントの古代セム系文字に遡ることができるという有力な説があります。仮にそうだとすると、未解決のミッシング・リンクがまだ多く残ってはいるものの、現在まで生き延びた文字の系統はたった2つということになります。

絵文字から文字へ

文字は、言語を表記するための視覚的な記号です。そのため、文字の原初の形態と考えられている絵文字は、厳密には「文字」とは認められていません。なぜなら絵文字は、「魚」や「太陽」など、具体的な事物を具象化した形で表したり、それらを組み合わせて、当事者にとって重要な事件など

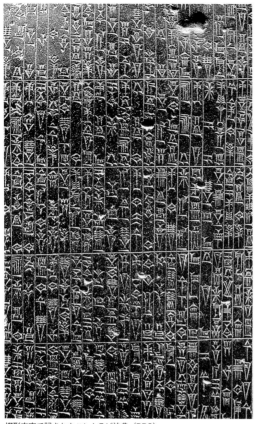

楔形文字で記されたハンムラビ法典（PPS）

ヒエログリフ（永井正勝氏撮影）

を全体として表しますが、1つ1つの形が言語の単位である語や音の単位に対応していないためです。つまり絵文字は見る人に印象を与えることができますが、「読む」ことはできません。

　古代メソポタミアの楔形文字、古代エジプトのヒエログリフ（象形文字）、漢字の祖形である甲骨文字は、絵文字の段階から読める文字へ進化したものと考えられています。

表語文字と表音文字

　文字を、その表す機能から、表語文字と表音文字に分ける分類法がよく知られています。表語文字は表意文字とも呼ばれることがありますが、漢字などは、より正確には語を表すことから、表語文字という言い方が一般的です。たとえば漢字の造字法の大部分を占める形声文字の1つ「江」を例にとると、事物の類型を表す記号（意符）「氵」と、発音を表す記号（音符）の「工」が組み合わさって、「大きな川」を意味する表語文字「江」となります。

　一見すると、表語文字はアルファベットなどの表音文字の対極にあると考えがちですが、使用者にとって表語文字は「語」の読み（音）も表しています。中国語（たとえば北京官語）では、各漢字の読み方は一通りしかありません。コカ・コーラ

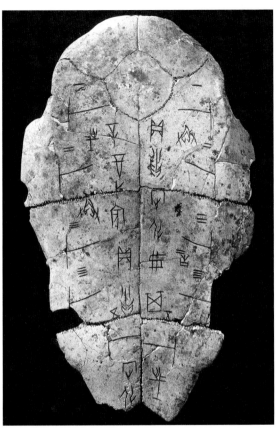

殷代の甲骨文字（PPS）

を可口可楽とすることばの遊びも、漢字の読み（音）が固定していてはじめて可能になります。

　古代エジプトのヒエログリフは、こうした表語文字の性質と、後のアルファベットの特徴である表音文字の機能両方を兼ね備えていました。このことを便宜的に漢字の「江」にたとえると、「大きな川」/kou/を意味する表語文字でもあり、語頭の子音/k/を表す（頭音字法 acronym）表音文字にもなるという具合です。ヒエログリフに見られる表音機能を原シナイ文字を経て受け継いだとされる古代セム系文字の1つであるフェニキア文字では、/g/を表す文字が「ラクダ」/gi_mel/から

きています。このように表語文字の痕跡はとどめてはいるものの、個々の文字は子音を表す表音文字に完全に変貌を遂げています。

　なお古代エジプトのヒエログリフと古代メソポタミアの楔形文字は、現在知られている限り、同じくらい古く（ほぼ5000年前）まで遡れます。古代オリエントという地域性、発展段階に表語文字が表音文字を兼ねるという共通した特徴を備えていたことなどから、両者を関係づける説もありますが、いまだにはっきりしたことはわかっていません。楔形文字は、古代ペルシア楔形文字など簡略化された系統が発展しましたが、後に古代セム系文字の系統をひくアラム文字に取って代わられ、後1世紀には歴史から姿を消します。

　現在のシリアから地中海全域にかけて、盛んな交易活動で栄えたセム系のフェニキア人とフェニキア語は、後に歴史の中に埋没していきましたが、使用していたフェニキア文字は2つの文字の源となり、現代まで血脈を伝えています。その1つはギリシア文字であり、もう1つはアラム文字です。

ギリシア文字の系譜

　古代ギリシア人がフェニキア文字をもとにギリシア文字を作り出したのは、前9世紀に遡るとされます。ギリシア文字の最大の工夫は、子音を表す22文字のフェニキア文字のうち、ギリシア語を表記するには不必要な余った子音文字を、母音を表す文字として使ったことです。このように子音や母音それぞれを表す文字を、表音文字の中でもとくに単音文字と言います。このように文字どおり、文字の性質の革命的な転換を遂げたギリシア文字は、その後のヨーロッパ諸文字の源となります。古典期のギリシア文字の字形は今日までほとんど変化せず、現代ギリシア語までそのまま使われています。

　このギリシア文字は、西方にはエトルリア文字

本書に収録した文字を中心に、ごくおおまかな変化の歴史を示しました。　　　　は各章の文字を表します。

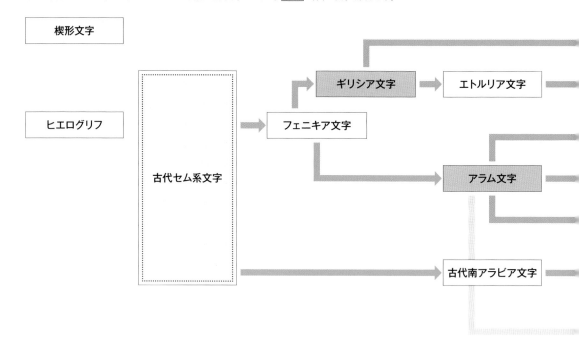

を経由して、ローマ帝国の公用語ラテン語を表記するラテン文字（ローマ字）を生み出す一方、時代が下って東方にはギリシア・東ローマ帝国の伝統を受け継ぐ正教会の伝播の歴史の中で、ロシア語などを表記するキリル文字にも変化していきました。ギリシア文字の最初の2文字からとったアルファベット（alphabet）という名称は厳密にはこれらギリシア文字の直系子孫たちの総称として使います。

アラム文字の末裔たち

　古代セム系文字のフェニキア文字は、ギリシア文字への発展の歴史とは別に、北西セム語派に属するアラム語を表記するアラム文字に継承されて、独自の展開をします。アラム文字は、子音のみを表すフェニキア文字の特徴をそのまま受け継ぎ、アラム文字から派生した多くの文字もこの特徴を保持しています。このように子音のみを表す表音文字を、とくにアブジャド（abjad）型文字と言うことがあります。アブジャドという名称は、アラム文字の末裔の中でもっとも有名なアラビア文字の最初の4文字からきています。

　アラビア語・アラビア文字は、最盛期はアラビア半島を中心に、西はイベリア半島から東はインドネシアまで、イスラーム文化とともにコーランの言語・文字として広がりました。現在も北アフ

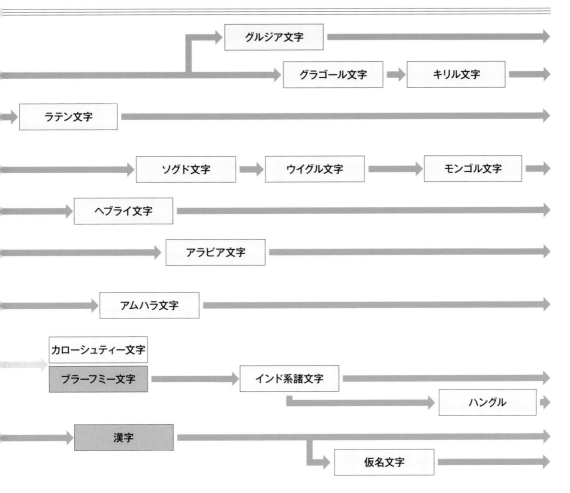

リカから西アジアにまたがるアラビア語圏はもちろん、南アジア、中央アジア、中国においても、地域固有の言語を表記するために工夫が施されたアラビア文字が使われています。イスラーム暦元年となったヒジュラ（622年）以前、アラム文字からナバテア文字を経て成立した4、5世紀の初期アラビア文字の碑文が確認されています。

　アラム人はアラビア半島からメソポタミア、シリアに広がり浸透していきました。アッシリア帝国（前8世紀～前609年）、新バビロニア王国（前625～前539年）、アケメネス朝ペルシア帝国（前550年～前330年）と続く王朝の興亡史のなかで、アラム語・アラム文字は行政言語・文字として確固たる

地位を保ち続けます。アラム文字から変化したヘブライ文字は、バビロン捕囚（前6世紀）以降、ユダヤ人によって使われ始めたと考えられています。なおアラム語は旧約聖書やユダヤ教聖典にも使用され、イエス・キリストもこの言語を話したといわれます。

　今日では消滅してしまったり衰退したりしましたが、世界史上忘れてはならないもう1つのアラム文字の系統を紹介しましょう。

　古代ギリシアのマケドニア王国が生んだ、一代の英雄アレクサンドロス大王（前356年～323年）の侵攻によりアケメネス朝ペルシア帝国が滅びた後、彼の帝国の公用語はアラム語に代わってギリ

シア語になりました。しかしアラム語・アラム文字は衰退することなく、むしろ規範の束縛から解かれ、東西の諸地域で変化を遂げることになります。とくに中央アジアから東方にかけて伝播した文字は、歴史に残る数々の末裔を生み出しました。

この系統は、ソグド文字を経てウイグル文字、モンゴル文字、さらに清朝の公文書で用いられた満州文字への流れです。この系統では文字の書字方向は、アラム文字本来の右から左へ向かう横書きから縦書きへと変化していきました。仏典における漢文との併記などの影響によるものとされています。たとえば縦書きのウイグル文字を右に90度傾けると、アラム文字本来の書字方向を継承したアラビア文字と同じように、1行が右から左へ各行が上から下に向かう読み方になります。遼(10世紀～12世紀)の未解読文字である契丹文字は、ウイグル文字をもとに作られたと伝えられます。ちなみに現在のウイグル語はアラビア文字で、モンゴル国(旧モンゴル人民共和国)のモンゴル語はキリル文字で書かれています。

ブラーフミー文字の子孫たち

現在の南アジアと東南アジアで使用されているすべてのインド系文字の源であるブラーフミー文字の成立については、いまだに謎に包まれています。前317年頃成立したマウリヤ王朝は、後にインド史上最初の統一王朝となりました。この王朝の全盛期を築いた第3代アショーカ王(在位前268年頃～前232年頃)当時の版図は、インド南端を除くほぼインド全域および現在のアフガニスタン東部をも含んでいました。アショーカ王は前3世紀中頃、広大な版図の各地に、施政方針あるいは統治理念ともいうべき内容の詔勅を磨崖や石柱に刻ませました。碑文は長短あるもののほぼ同一内容で、そのほとんどがインド・ヨーロッパ語族中期インド語派に属するプラークリット語で書かれて

います。40以上発見されている碑文の中で、西北インドの2つの磨崖碑文がカローシュティー文字で刻まれている他は、ほとんど均一同一の文字が刻まれていました。この文字に、19世紀の研究者は仏教経典にあげられている伝説的な文字の名前にちなんで、ブラーフミー文字と名づけました。

ブラーフミー文字の系統については、アケメネス朝ペルシア帝国のダリウス1世(在位前522年～前486年)がうちたてた大帝国の東はインダス川まで到達していたこと、アレクサンドロス大王がインダス川を越えてパンジャーブ地方に侵入した事件(前326年)などの歴史的背景やいくつかの字形の類似などから、当時も優勢であったアラム文字との関係を示唆する説がありますが、確実なことはわかっていません。

ブラーフミー文字がアラム文字と決定的に異なるのは、アルファベットのように左から右に向かって書かれるだけではありません。ブラーフミー文字を始祖とするインド系文字の最大の特徴は、子音のみを表すアラム文字と異なり、子音字に一定の母音記号を付加する音節文字である点です。同じ音節文字でも日本の仮名文字とは違い、文字要素の経済的・効率的な組み合わせを特徴とするこのような文字を、アブギダ(abugida)型文字ということがあります。アラビア文字(古代北アラビア文字の系統)とは別の道を歩んだ古代南アラビア文字の系統のゲエズ文字(エチオピア文字)も、おそらく偶然でしょうが、同じタイプに属します。ちなみにアブギダという名称は実はエチオピア文字の最初の4文字からつけられたものです。ブラーフミー文字とエチオピア文字の不思議な一致については、ときおり学界の話題になることがあります。

では、現在の文字と言語、言語と文字がめぐりあったお話をお楽しみください。

世界と地域をつなぐ

　速度の違いはあっても、地域固有の文化が世界に広まるようすは、古今東西変わりがありません。かつて砂漠や海を越えて渡った珍奇な品々が並ぶ店先は、人目をひくために様々な工夫がされたことでしょう。現在、各国の街角で目にするロゴやピクトグラム（絵文字）のなかには、世界共通の記号として雄弁に語りかけてくることがあります。

国政選挙への参加方法を記したタンザニアのスワヒリ語のパンフレット。（阿部優子氏撮影）

韓国の石窟庵に納められた各国語で記された瓦。

ハンガリーのパトカーには警察 RENDŐRSEG の文字。（早稲田みか氏撮影）

ネパールの進入禁止の標識。（野津治仁氏撮影）

おなじみのマーク。グルジアにもあります。（児島康宏氏撮影）

ウイグルのKFC。（菅原純氏撮影）

古くて新しいラテン文字

ラテン文字は、もとは、ラテン語の表記のために古代イタリアにおいてギリシア文字から作られたものです。

イタリアのギリシア人たちは西部方言の話者が多く、その方言的な特徴の跡が、標準的なギリシア語では使われない文字がラテン文字に取り入れられているなどの点に見られます。

また、イタリア北部・中部は、当時有力な民族であったエトルリア人（言語系統不明）の強い影響下にあり、ラテン文字にもその名残りがあると考えられています。

ラテン文字は、少数の例外を除けば、おおむね1つの文字に1つの音が対応する、比較的明快な仕組みでしたが、ラテン語の歴史的な進化、またラテン文字の様々な言語の表記への採用（さらにこれらの言語もまた歴史的な変化を被る）にともない、文字と音との対応は複雑・不明瞭になりがちでした。

これを改善するため、様々な試みが古くから行われてきました。たとえば、⑴同じ文字に異なった文脈で異なった音価を担わせる（イタリア語のように g を後続の文字によって［g］や［dʒ］などと読み分けるなど）、⑵2つ以上の文字を組み合わせて別の音を表す（英語やスペイン語のように ch で［tʃ］を表すなど）、⑶文字に補助的な要素「弁別符号」を付与して別の音を表す（チェコ語の č, š, ž のように ˇ が付加された文字など）、⑷新しい文字を導入する（たとえば古代英語における þ）、などです。

ラテン文字の進化に関するもう1つの重要な現象は、様々な書体の発達・区別です。書体は、単なる装飾的な要素に関わるに過ぎない場合もありますが、（現代では重要な意味を持つ）大文字と小文字の区別（古代には存在せず）は中世のある種の書体の区別に由来するなど、文字の機能の上でも看過できない問題もあります。

大雑把に言うと、現在の書体の基となったのは、ルネッサンスの人文主義の産物である、「アンティクア」という書体で、これは、古いローマ時代の書体に倣って作られたものです。それに対して、中世の盛期には、よりごつごつした印象を与える書体──いわゆる「ゴシック（ゴート風）書体」という名はその総称──が広まっていました。そのため、現代の書体は中世よりも古代のそれにずっと近い印象を与えます。

（山本真司）

Quoniam tu solus Sanctus. Tu solus Dominus, Tu solus Altissimus, Jesu Christe, cum Sancto Spiritu in gloria Dei Patris. Amen.

● Sanctus, Sanctus, Sanctus Dominus Deus Sabaoth. Pleni sunt caeli et terra gloria tua.
Hosanna in excelsis. Benedictus qui venit in nomine Domini. Hosanna in excelsis.

Páter noster, qui es in cáelis : Sancti - ficétur nómen
túum : Ad - véni - at régnum tú - um : FI - at volún - tas

Il - be - ra nos a má - lo.

● Agnus Dei, qui tollis peccata mundi: miserere nobis.
Agnus Dei, qui tollis peccata mundi: miserere nobis.
Agnus Dei, qui tollis peccata mundi: dona nobis pacem.

Ky - ri - e   e - lé - i - son. Chri - ste

カトリック教会の祈祷書より（イタリア、フリウリ地方で使われているもの）。ミサの一部が楽譜とともに載せられている。今日でもラテン語が使われている例。ただし、見開き右側に書かれている、kyrie eleison は、ラテン文字で書かれているが、ギリシア語である。(Hosanna. Cjanz e prejeris dal popul furlan, Glesie furlane, TREU Arti Grafiche, Tolmezzo (UD), 1995, pp.36,37)

文字の伝統

トルコ国内にある古いグルジアの教会の遺跡入り口。古代のグルジア文字がみえる。（児島康宏氏撮影）

文字の発明によって、文化を記録することが可能になりました。はじめは石に刻んだり粘土に記したりしました。紙の発明によって、多くの書類そして写本を作ることができ、さらに印刷という技術が発明されて、こうした文字の文化は大きく広がったのです。

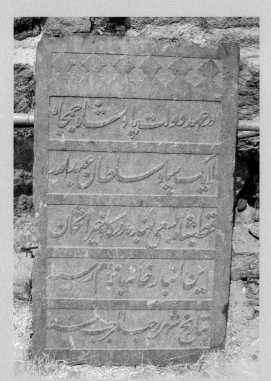

インド・ハイダラバード、ゴルゴンダ城の碑文。倉庫の建設を記念し、1644年の日付がある。（近藤信彰氏撮影）

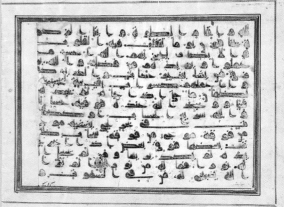

10世紀ごろのコーラン断片、初期のクーファ書体で書かれている。（国立民族学博物館所蔵・中西コレクション）

フランス語最古の文献「ストラスブールの宣誓」
(Serments de Strasbourg)（842年）の写本。

暦に多用されたマヤ文字

マヤ文字は３世紀末から10世紀初頭まで繁栄した古典期マヤ時代に主に用いられました。その間に約３万から５万文字が記されました。しかしそれ以前にマヤ文字の元となる文字が紀元前300年頃にはすでにあった可能性があり、16世紀にスペイン人が征服後もわずかながらもマヤ文字についての知識が伝えられていましたので、長い歴史をもつ文字ということができます。

16世紀中葉に布教にユカタンに来たランダ神父が、『ユカタン事物記』に当時伝えられていた暦の文字と30の音節文字を記しました。それをもとにしながら、この半世紀の間に、テキストの整備が進むとともに、テキストの分析が深まり、マヤ文字の解読がおおいに進んできました。

マヤ文字は漢字仮名文字交じりの日本語の書記体系とよく似ており、表語文字と音節文字の混合体系です。

マヤ文字は石碑などの石に刻んだ刻書体と土器や絵文書などに描いた筆書体の２つの書体があります。そして字体には幾何体、頭字体、全身体の３つがあります。この３つの字体は同じ意味の文字の書き換えです。

テキストの読み順は、マヤ独自のたいへん変わったものです。２列を対に上から下へ左、右、左、右と読んでいきます。それぞれの文字マスには１字から４字入っています。１字は、偏や旁などにあたる文字素の集合からなります。文字素の数は700あまりで、それらが結合して文字ができています。

テキストのおよそ３分の１が暦の文字で占められています。暦は紀元前3114年９月６日（ユリウス暦）を暦元とする長期暦を元に260日暦と365日暦の２つを用いて１日を表すことが基本になります。

通常テキストはいくつかの文からなりますが、それぞれの文の最初には必ずといっていいほど日付があります。碑文の日付は、王の誕生や即位、結婚、戦いなどの歴史的な事柄を扱っています。絵文書は主に260日暦の日々の占いを扱っていますが、これも260日暦の日が最初にあり、４文字が１つの文になるのが一般的です。

（八杉佳穂）

パレンケの宮殿板。左端の大きな文字列は全身体の文字、その右の列の文字マスには、頭の形をした頭字体と抽象的な図形の幾何体の文字が彫り刻まれている。内容はパレンケの王朝史が記されている。

奇妙な
文字

　不思議なことに、意味のわからない外国の文字は魅力的です。数百年、数千年にわたって工夫を凝らされた造形が、デザイン的にすぐれたものになったからでしょうか。ただ、外国の文字をパッケージや広告に使うと、ときどきネイティブ・スピーカーには「キミョウキテレツな」ものができあがってしまうことがあります。

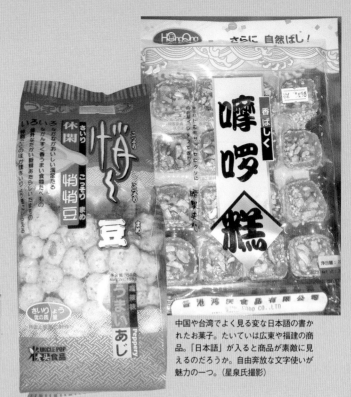

中国や台湾でよく見る変な日本語の書かれたお菓子。たいていは広東や福建の商品。「日本語」が入ると商品が素敵に見えるのだろうか。自由奔放な文字使いが魅力の一つ。(星泉氏撮影)

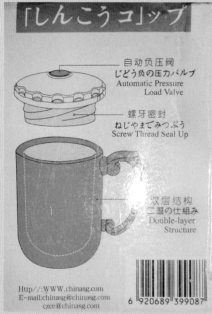

「しんこうコ」ップ。カッコの位置はそこじゃない！　マルじゃなくて濁点！　つっこみどころ満載なのも魅力。(星泉氏撮影)

ロンドンで見かけた引っ越し屋さんのトラック。(森本悠子氏撮影)

韓国の料理店で。助詞は難しい。「で」を「じ」と間違えたのか。

ゴッホ「日本趣味 花咲く梅の木（広重による）」は、『名所江戸百景 亀戸梅屋舗』の模写。絵だけでなく漢字もかなり正確に模写している。(ゴッホ美術館所蔵)

15

20世紀に作られたオル・チキ文字

オル・チキ文字はサンタル語を書き表すための文字です。サンタル語はインドのジャールカンド州、西ベンガル州、オリッサ州に分布する少数民族言語で、インドでの話者人口は2001年国勢調査によると600万人を超し、バングラデシュやネパールにも分布しています。オル・チキ文字は、1940年代になって考案されたもので、それまでは隣接するインド系文字やローマ字を使用し、独自の文字はありませんでした。

文字を考案したのはラグナート・ムルム（Raghunath Murmu）という名のサンタル人です。彼は1905年にインド東部のオリッサ州マユールバンジ県に生まれ、オリッサ州の公用語であるオリヤー語で初等教育を受けました。その経験から、サンタルの伝統文化を守るためには、母語であるサンタル語での初等教育が必要であると考えて、サンタル語教育のためにオル・チキ文字を考案したのです。

では、オル・チキ文字はどのように考案されたのでしょうか。面白いことに、彼自身はけっして考案したとはいわず、あくまでも文字は神話や口承文芸のなかから「発見」したものであると主張しました。死ぬまでその主張を変えることはありませんでした。

では、一人のサンタル人によって作られた文字がどのようにして普及していったのでしょうか。ムルムは高校教師としての経験を生かし、オル・チキ文字による教科書を作り、サンタル人のための教員養成学校でオル・チキ文字修得のための集中講座を開いたり、サンタルの伝統文化をテーマとした劇を上演し、その上演会でオル・チキ文字の書き方を説明したパンフレットを配ったりしたのです。地道な普及活動を繰り広げた結果、1970年代半ばまでには、かなりのサンタル人がオル・チキ文字を使用するようになりました。

現在では、オル・チキ文字のフォントでインターネット発信ができる時代になったのです。たった一人で考案した文字がここまで広がるとはムルムも草葉の陰で喜んでいることでしょう。

（長田俊樹）

オル・チキ文字の考案者ラグナート・ムルム。晩年の写真。

オル・チキ文字で出版されている雑誌類。一番右の表紙にはオル・チキ文字が筆記体で書かれている。

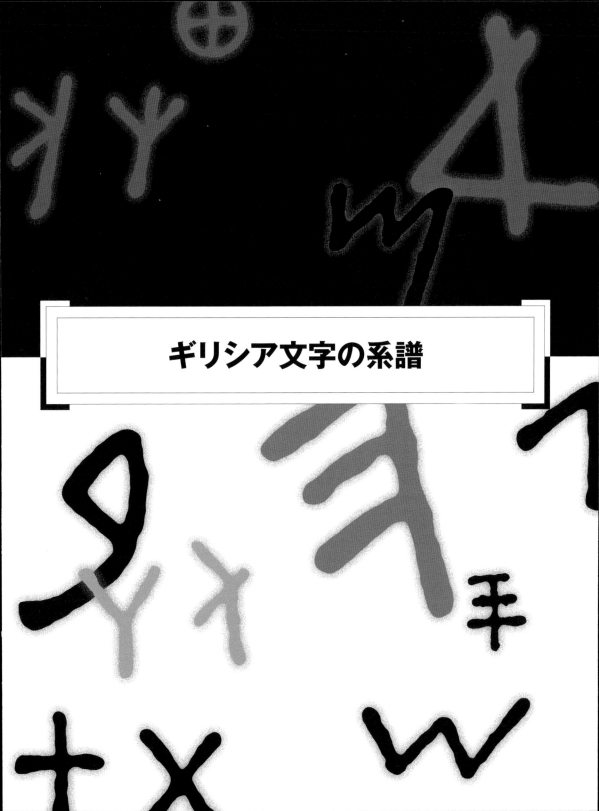

ギリシア文字の系譜

　この章でとりあげたギリシア文字の系譜に連な
る文字は、ギリシア文字、ラテン文字、キリル文
字、グルジア文字です。

　これらの中で、いまだに起源をめぐって謎が多
いグルジア文字を除くと、残りの文字には大文字
と小文字の区別があります。このユニークな特徴
は他の文字の系統には見られないものです。ただ
しこの特徴はもっとも古いギリシア文字にもなく、
ローマ帝国時代の遺跡や遺物に刻まれているラテ
ン文字（ローマ字）もすべていわゆる大文字です。
ちなみに今日ローマン体と呼ばれる活字（フォン
ト）の大文字は、この文字がもとになっています。
小文字は、ラテン文字文化圏各地でペンによる手
書きのいわば草書体として、各地で発達したもの
がもとになっていると考えられています。全西欧
的文化を築いたフランク王国カロリング朝のカル
ル大帝（カール、シャルルマーニュ、在位768〜814）
の時代には、ほぼ現在の小文字の字形が整います。

　ギリシア文字の小文字もほぼこの時期に出現し
たようです。この時代のギリシア文字から、おそ
らくグラゴール文字を経て、成立したキリル文字
にも大文字・小文字の区別があります。キリル文
字は正教会の宗教的伝統と密接に関係していて、
同じ東欧でもローマ・カトリックの有力な国々で
はラテン文字を使用しています。

　ギリシア文字の系譜中、現在の世界でその普及
が圧倒的に抜きん出ているのは、もちろんラテン
文字です。この文字は古代ギリシア文字が身につ
けた、子音と母音を独立した文字で表しわけると
いう優れた機能を継承し、古代ローマ帝国滅亡後
も西ヨーロッパ各地の言語の表記にその機能をい
かんなく発揮しました。

　インド系文字がヒンドゥー教や仏教などのイン
ド文化の伝播とともに南アジアから東南アジアに
伝わり、漢字が中華の政治制度・文化の吸収につ
とめた周辺の国々に受容され、アラビア文字が聖

典コーランの文字としてイスラーム教の膨張とともに洋の東西にひろがったのに対し、ラテン文字の地球規模的ひろがりのきっかけになったのは、15世紀から17世紀前半にかけての大航海時代でした。その後に到来する植民地時代は、宗主国の言語とラテン文字というセットを世界各地に植えつけることになります。固有の文字をもっていなかった言語はむろんのこと、固有の文字をもっていた言語もその影響から逃れることはできませんでした。この歴史的ダイナミクスが当該地域にもたらした功罪は別にして、ラテン文字普及の一因がそのすぐれた表音機能にあったことは否定できません。

　大航海時代の幕開けとほぼ同時期に活版印刷術が完成します。この文字を正確に大量かつ安価に印刷する装置は、当時の西ヨーロッパ諸言語の綴りを広く普及させると同時に、固定化する役割を果たしました。しかし一方皮肉なことに、このこ

とがラテン文字のすぐれた表音機能とその普遍性を弱めていくことになります。それは、言語(音声)は当然のことながらその後も言語固有の変化を続けたにもかかわらず、綴りは固定化されて取り残されていったからです。たとえば現在の英語の綴りを正しく発音するためには phonics と呼ばれる綴り字読みルールの知識が不可欠です。この意味で今日ラテン文字の綴りは、言語の数だけ読み方があるとも言えます。

　この章で、キリル文字のすぐ後にグルジア文字で書かれるグルジア語が配置されています。この不思議な形をしたグルジア文字の起源については諸説があり、いまだに決定的な結論は出ていないようです。ここでは4世紀頃キリスト教布教のためにギリシア文字をモデルに作られたとする有力な説に従って「ギリシア文字の系譜」に加えました。

(町田和彦)

ギリシア文字

ελληνικό αλφάβητο

エリニコ　アルファヴィト

ギリシア語

ελληνική γλώσσα

エリニキ　グロッサ

インド・ヨーロッパ語族（ギリシア語派）

　現代ギリシア語は、ギリシア共和国とキプロス共和国で話されていることばです。

　ギリシア語の歴史は古く、紀元前1650年頃に興ったミケーネ文明の時代にその使用が確認されています。ただし、今日まで用いられているギリシア文字による表記が始まるのは、紀元前8世紀半ば以降のことです。ギリシア文字は、フェニキア文字をもとにして作られました。

　ホメロスの叙事詩、トゥキュディデスの歴史書、プラトンやアリストテレスの著作で用いられている古代ギリシア語は、現代ギリシア語とは、かなり違っています。ギリシア語話者でも、相当の教育を受けないかぎり、古代ギリシア語の著作を理解することはできません。同様に、古代ギリシア語を学んだからといって、現代ギリシア語で書か

れた新聞や小説が容易に読めたり、ギリシア人と会話が楽しめたりするわけではありません。使われている文字は同じでも、長い時間の中で、語彙と文法が大きく変化したからです。

　古代ギリシア語から現代ギリシア語に変化する過程では、様々なことがありました。19世紀前半、ギリシアがオスマン帝国から独立し国民国家を形成して以来、古代ギリシア語に擬した人工的なギリシア語（カサレヴサ）と口語ギリシア語（ディモティキ）のどちらが国語としてふさわしいかという問題が長らく議論されました。今日、学校教育や政府機関で用いられている、口語ギリシア語を基礎とする表記法と文法が定められたのは、1970年代半ばのことです。ギリシア語は、古くて新しいことばなのです。

アテネのカフェの手書きの看板。各項の上がギリシア語。

アテネの地下鉄の切符売り場の表示。

アテネのベナキ博物館前の駐車禁止の掲示。

現代ギリシア語は、24のギリシア文字からなりたっています。アルファベット順に並べると、α（アルファ）で始まり、ω（オメガ）で終わります。ここから、「最初から最後まで」という意味を表す από το άλφα ως το ωμέγα「アルファからオメガまで」という表現が生まれました。

名詞は、男性・女性・中性に区分されます。原則として主格（「～は」を表す形）の語尾によって性が決められているので、区別は容易です。男性名詞は -ας, -ος, -ης、女性名詞 -α, -η、中性名詞は -o, -ι, -μα で終わります。形容詞は、修飾する名詞の性によって語尾の形が変わります。

ギリシア語の特徴のひとつとして、人名や都市名が定冠詞とともに用いられることがあげられます。名詞の性によって定冠詞も区別され、o Γιάννης（ヤニスは：男性）、η Αθήνα（アテネは：女性）、το Παρίσι（パリは：中性）となります。

現代ギリシア語は、主語に対応して動詞の語尾が変化します。そのため、主語を強調したい場合を除いて、主語は省かれます。たとえば、「私が病院に行く」というように、「誰が」が強調され

る場合は、Εγώ πηγαίνω στο νοσοκομείο. となりますが、「（私は）病院に行く」という場合には、Πηγαίνω στο νοσοκομείο. となり、「私は」に相当する εγώ［エゴ］（エゴイズム egoism はこの語に由来します）は省かれます。

疑問文を作るときは、平叙文の末尾に「;」をつけます。話すときは上げ調子になります。Είναι καλά.（彼／彼女は）元気です。Είναι καλά;（彼／彼女は）元気ですか？

ギリシア語は習得がむずかしいことばと考えられているようです。It's Greek to me.（「私にとってそれはギリシア語だ」が転じて「ちんぷんかんぷんだ」の意味となる）という英語表現が、そのようなイメージをよく反映しています。では、ギリシア人が「ちんぷんかんぷん」と言いたいときには、どのような表現を用いるのでしょう。よく耳にするのは、Είναι κινέζικα.「それは中国語だ」という表現です。古代の偉大な文明との絆を意識する現代のギリシア人は、同じように長い歴史をもつ中国のことばを「難解」だと位置づけているのです。

（村田奈々子）

アテネのギリシア子供芸術博物館の看板。左側の子供のイラストは、ギリシア文字をうまく組み合わせて描かれている。

ニューヨークのギリシア系コミュニティ（アストリア地区）にある東方正教会聖堂の入り口。この地区では、ギリシア系アメリカ人たちが日常的にギリシア語を使って生活している。

キリル文字
кириллица
キリーリツァ

ロシア語
русский язык
ルースキー　イズィーク
インド・ヨーロッパ語族 (スラヴ語派)

　ロシア語は主にロシア連邦で話されている言語です。

　統計によれば、ロシア連邦では約1億4260万人がロシア語を使用しており、これは人口の98パーセントにあたります。そのほか、旧ソ連の共和国であったウクライナ、ベラルーシ、カザフスタン、ウズベキスタンなどの国々にも、ロシア語話者がいます。さらにアメリカやイスラエルなどでも、200万人以上がロシア語を話しています。国際連合の公用語であり、世界中に多くの学習者がいます。

　ロシア語を書き表す文字がラテン文字でないことは、日本でも広く知られています。しかしそれ以上の知識となると実にあやふやで、なかにはいい加減なデマすら飛び交っているのが現状です。

　ロシア語を勉強してきた一人として、常々悲しく思っています。

　まず、ロシア語の文字に「逆さま」はありません。おそらくИやЯといった文字のことなのでしょうが、これらはラテン文字と比べて「逆さま」ではなく「裏返し」です。しかもNやRとは一切関係がありません。文字がヨーロッパからロシアへ伝えられる途中でひっくり返ったという俗説がありますが、非科学的である上に面白くありません。

　ロシア語で使われる文字はキリル文字といいます。「ロシア文字」という表現を耳にすることもありますが、正確ではありません。ラテン文字のことを「イギリス文字」とはいわないではありませんか。これからは正しくキリル文字といいまし

ロシアの印刷術創始者イワン・フョードロフ。記念コインより。

ヤロスラフ賢公の「ルーシ法典」。ソ連の切手より。

果物屋の看板。

モスクワの地名表示「トーヴェリ通り」と書いてある。

ょう。

キリル文字の起源について、キリルという僧侶が作ったという説は、現在ではほとんど支持されていません。テッサロニキ出身の兄弟キリル（ギリシア名キュリロス）とメトディー（同メトディオス）は、確かにスラヴの言語を書き表すための文字を作りましたが、それはキリル文字ではなく、現在では滅びてしまったグラゴール文字という別の文字だと考えられています。

キリル文字はギリシア文字の楷書体をもとに作られています。たとえばДはギリシア文字の⊿（デルタ）が起源です。顔文字の「ロ」ではないのです。ギリシア語にない音は、新たな文字を作って対処しました。

ロシアにキリル文字がもたらされたのは、キリスト教が受け入れられた10〜11世紀です。ロシア語による最古の文書である「オスロトミール福音書」は1056〜1057年に書かれました。もちろんキリル文字が使われています。

キリル文字を学習する場合、すでにラテン文字を知っている人は、3つのグループに分けて考え

るとよいでしょう。

1つ目は、ラテン文字と発音も形も同じ文字。ктоと書いて「クト」と読むのですから、これは簡単ですね。ただしкはkと違って縦棒が上に伸びていませんし、тもtのように突き抜けないなど、微妙な違いはあります。

2つ目は、ラテン文字にはない独特の形の文字。яは「ヤ」、またюは「ユ」という音をそれぞれ示します。これは新しく覚える必要があります。

3つ目は、形はラテン文字と同じなのに、音が違う場合です。これがいちばん難しい。たとえばротは「ポト」ではなくて「ロト」と発音します。рはラテン文字のpではなくてrの音を示すためです。これは紛らわしくて、学習者はしばらく混乱してしまいます。

それでもこのキリル文字を覚えれば、ロシア語と多少の違いはあるものの、ウクライナ語やベラルーシ語、ブルガリア語やセルビア語、さらにはモンゴル語まで読めるようになります。そういう意味では、キリル文字は大きな言語文化圏を形成しているといえるかもしれません。（黒田龍之助）

モスクワの百貨店入り口。

道路標識。

キリル文字

кириллица

キリーリツァ

モンゴル語

Монгол хэл

モンゴル ヘレ

モンゴル語族

モンゴル語はモンゴル国のほかに、中国の内モ
ンゴル自治区、新疆ウイグル自治区、遼寧省、青
海省、黒竜江省、甘粛省などの地域で話されてい
る言語です。また、ロシア連邦のブリヤート共和
国、チター州、イルクーツク州で話されているブ
リヤート語、カルムイク共和国で話されているカ
ルムイク語はモンゴル語と同系の言語というより
むしろ、モンゴル語の方言といえます。モンゴル
語全体の話者数は700万人ぐらいと推定されます。

モンゴルは、1911年に清朝からの独立を宣言
した後、1924年にはモンゴル人民共和国として
世界で2番目の社会主義国になりました。それか
ら70年近くの間、政治、経済、教育など様々な分
野において旧ソ連に依存してきました。その強い

影響を受け、モンゴル人民共和国は、旧ソ連のほ
かの共和国より少し遅れて、1940年代半ばに、伝
統的なウイグル式文字（いわゆる縦書きの文字）を
廃止し、ロシア式キリル文字を導入した正書法を
確立しました。この正書法では、ロシア語の表記
に用いられる文字にモンゴル語の円唇母音を表す
のに必要なӨとҮが加わり、全部で35文字が用い
られています。こうして、モンゴル国の大多数の
人が話すハルハ方言に基づいた新しい書きことば
が誕生しました。ブリヤート共和国とカルムイク
共和国でも、ロシア式キリル文字を1930年代後
半から導入しましたが、その正書法は、モンゴル
国のキリル文字のそれとはかなり異なります。

モンゴル人は、上記の縦書きの伝統的ウイグル

モンゴル国の紙幣。表（左）がモンゴル式文字で、裏がキリル
文字で記されている。

式モンゴル文字を800年以上使用してきましたが、中国内モンゴル自治区では、今もなおこの文字が使われています。内モンゴル自治区でも1950年代の半ばに、キリル文字の導入が検討されましたが、最終的には中央政府の意向もあり導入にいたらなかったためです。モンゴル国のモンゴル人の中には、このように内モンゴルで伝統文化の象徴ともいえるモンゴル文字が使われていることに憧れを抱く人も少なくありません。

　1980年代末、東ヨーロッパから始まったペレストロイカの影響を受け、モンゴルでも民主化が進み、70年近く続いた社会主義の体制から脱却し、市場経済を導入しました。それにともない、国名を「モンゴル人民共和国」から「モンゴル国」に改め、大統領と国会議員を国民が直接選挙で選ぶ制度を確立させました。民族意識の高揚とともに、伝統的なモンゴル文字を復活させようという動きが一時高まりました。1991年には国家小議会第36号決定において、1994年からモンゴル文字の公用化が決定され、モンゴル文字の教育が始まりました。しかし、この試みは失敗し、今でもキリル文字の使用が続いています。

　東京にあるモンゴル国の大使館の玄関には伝統的なモンゴル文字が書かれています。ウランバートル市の国営デパートの入り口にも「国営デパート」とモンゴル文字で大きく書かれています。今のモンゴル語の学者、知識人の中には、伝統的なモンゴル文字を復活させようと主張する人も少なからずいます。しかし、伝統的なモンゴル文字の正書法は、現代の話しことばとはかなりかけ離れている一方で、キリル文字は現代の話しことばにより近いことが、伝統的モンゴル文字の導入を困難にしている要因のひとつとなっています。

（呉人徳司）

ウランバートルの郊外にあるチンギス・ハーン国際空港の看板。モンゴル文字とローマ字で表記されている。

ウランバートル市の国営デパートの看板。モンゴル文字と英語で表記されている。

グルジア文字
ქართული ანბანი
カルトゥリ　アンバニ

グルジア語
ქართული ენა
カルトゥリ　エナ

南カフカス（カルトヴェリ）語族

　グルジア語は、カフカス（コーカサス）地方に位置するグルジアで主に話されていることばです。南カフカス（カルトヴェリ）語族という小さな語族に属しています。トルコやイランに暮らす人々を含め、450万人ほどの人々がグルジア語を話します。

　グルジア語の表記にはグルジア文字が用いられます。このグルジア文字がいつ、どこで、どのようにして生まれたのかについては、はっきりしたことはわかっていません。確実に言えるのは、少なくとも5世紀にはすでにグルジア文字が存在していたということくらいです。パレスティナにあ

るグルジアの教会跡で発見された石板のグルジア文字が、430年頃に書かれたものであると推定されています。

　東グルジアでキリスト教が国教化されたのが330年頃で、おそらくその頃に、聖書などをグルジア語に翻訳するためにグルジア文字が作られたのだろうと考えられています。形はあまり似ていませんが、文字の順序やグルジア語には不要ないくつかの文字が存在していたことなどから、ギリシア文字を参考にしていることは疑いありません。

　しかしながら、最近、グルジア国内で4世紀よりも前に書かれたものである可能性のある碑文が

グルジアの首都トビリシ市内の看板。看板や新聞・本などの見出しでは、強調するためにすべての文字を同じ高さにして書くことがある。

空港の案内板。

セールの看板「20日間だけ大安売り—10ラリより」。ラリはグルジアの通貨。

グルジア文字で書かれた小説。

ბავს ელოდებოდა გუედამაყრის ხეობაში. პაერიც კი იდმალი შიშით იყო გაელენთიელი და რომ ჩაისუნთქავდი, ოსუნთქვა გიჭირდა, გულ-ლვიდლი და ფილტვებში გეგრ შებრა, მერე ეს შეგუძმშული პაერი გულზე მძიმედ გევებრა და თითქოს მკერდს გამონგრევას ლამობდა.

　სევდიანი მზერით დადიოდა ხალხი. პატარებსაც კი ჰკროობდათ პირზე ლიმილი. არც მგალობელი ფრინველები მოფურენილან იმ წელიწადს და ორ მთას შორის ბ მავალი შავი არაგვიც უფრო გააცდა, ისეთ შავ ტალდე ას მიაქანებდა ლორიან ჭალაზე, იმისი შეხეედვაც კი ბ გზრავდა. კლდეზე მიხეთქებული ტალლების საზრე

発見され、もしかしたら2、3世紀にはすでにグルジア文字が存在していたのではないかと大きな議論になっています。グルジア文字の誕生の経緯が明らかにされるにはまだしばらく時間がかかりそうです。

古いグルジア文字は、現在の文字とはかなり形が異なっています。グルジア文字は2度、大きく形を変えており、現在の文字は11世紀頃から使われています。古い文字はすべての文字が同じ高さでしたが、現在の文字はちょうどラテン文字のように高さがまちまちです。素早く読み書きできるように次第に変化した結果です。

現在のグルジア文字は33文字から成り、その一つ一つが母音や子音を表すアルファベ

文字の形は次第に変化した。上段が古代のグルジア文字。中間的な形を経て、下段が11世紀頃から用いられている現代のグルジア文字。

グルジア文字。

ットです。大文字と小文字の区別はありません。新しく大文字を作ろう、あるいは古い文字を大文字として使おうという試みは何度かありましたが、定着しませんでした。

グルジア語の正書法では、綴りと発音がほぼ常に規則正しく対応しています。書かれているとおりに一つ一つの文字の表す音を発音すれば正しい発音になります。英語の綴りのようなややこしさは一切ないので、33文字の発音さえ覚えれば、何でも読めるようになります。そのおかげでグルジア語の読み書きはきわめて単純明快です。

一方、文法はかなり複雑です。動詞は主語と目的語の両方の人称に合わせて形を変えます。たとえば、გნახე（グナヘ）は「私が君を見た」という意味ですが、მნახე（ムナヘ）になると「君が私を見た」、語尾を変えてმნახა（ムナハ）とすると、「彼／彼女が私を見た」という意味になります。動詞の形だけで「誰が誰に何をしたのか」ということがわかってしまいます。

また、主語や目的語を表す名詞は、動詞の時制に合わせて形を変えます。下の例を見てください。「少年が」は、動詞が未来形ならბიჭი（ビチ）ですが、過去形ならბიჭმა（ビチマ）、完了形ならბიჭს（ビチス）としなければなりません。それに応じて目的語の形も変わります。あらかじめ動詞のどんな形を使うのかを決めておかないと、「少年が」と話し出せないのが、慣れるまではなかなか厄介なところです。
　　　　　　　　　　　　　（児島康宏）

およそ900年前のグルジア王の墓。古いグルジア文字が刻まれている。

未来	ビチ ბიჭი 少年が	ゴゴス გოგოს 少女を	ナハヴス ნახავს 見る
過去	ビチマ ბიჭმა 少年が	ゴゴ გოგო 少女を	ナハ ნახა 見た
完了	ビチス ბიჭს 少年が	ゴゴ გოგო 少女を	ウナハヴス უნახავს 見た（ようだ）

イタリア語
lingua italiana

リングァ イタリアーナ

インド・ヨーロッパ語族（ロマンス語派）

　イタリア語は、ラテン語から派生した、いわゆるロマンス諸語の1つです。イタリア中部のトスカーナ地方のことばが、イタリア半島およびその周辺の地域で共通語として使われるようになったものです（ゆえに、かつては「トスカーナ語」と呼ばれた時代もありました）。これに対して、共通語の普及以前から各地で話され続けてきた土着の言語のことを、イタリア語学では「方言」と呼びます。これは日本の状況（「方言」とは「日本語」のヴァリエーションのことである）とは異なるので、注意が必要です。

　トスカーナ地方は、かつては、古代イタリアの有力な民族の1つ、エトルリア人の居住地域でした。ある意味では、ラテン語がエトルリアの言語の影響を反映しつつ進化を遂げたものがトスカーナ語であると言えるかもしれません。現在のトスカーナ語にも、発音にエトルリア語の名残りではないかと疑われる現象も見られます。ただし、発音の点も含め、極端にトスカーナ的であるとみなされる諸特徴は、標準的なイタリア語の規範には採用されませんでした。

　そうしたいくつかの特徴を除くと、トスカーナ語は、音声や形態の点では、総じて古い特徴をよく保っている言語であると言えます。この点、ラテン語の故地であるローマおよびラツィオ（ラティウム）地方ではむしろ様々な点で言語の進化がより進んでしまったこととは対照的です。また、ルネッサンス期以降トスカーナ語に生じた新たな進化のいくつかは現代の標準イタリア語の規範には採用されなかったので、イタリア語はその点でも保守的な様相を呈するに至ります。

　イタリア語の保守性を示す傍証の1つが、実は、グレゴリオ聖歌などに用いられる、教会ラテン語の発音です。これは、一見したところ、「イタリア語読みのラテン語」のように見えますが、実は、多くの点で、中世初期のラテン語の特徴を保っているものであることが明らかになっています。つまり、イタリア語はそれほど古い特徴を保存しているということです。

　イタリア語の発音上の保守性は、多くの場合、ラテン語からの進化の途上で起こった変化が、さほど大きくなかったか、または、ラテン語形との対応を比較的明瞭に残した形で生じた、ということを意味します。そのため、書記法を定めるさいに、ラテン語の書法を、それほど大きな変更なしに、イタリア語に適応させることが可能でした。たとえば、次のような単語は、少なくとも字面はラテン語と変わっていません。terra「大地」、capra「ヤギ」、luna「月」、cantare「歌う」、bene「良く」、quando「いつ」。

　ちなみに、日本語の「ローマ字」の規則は、多くの点で、古いラテン語の書記体系に沿っていて、イタリア語とも共通点が多く、結局、日本人には、イタリア語の正書法はかなりの程度まで「ローマ字読み」であるとの印象を与えることとなります。

　ラテン語からの進化の途上で起こったもっとも大きな音声上の変化の1つは、ラテン語の長短それぞれ5母音の体系（ ī ĭ ē ĕ ā ă ō ŏ ū ŭ ）からイタリア語の母音7つの体系（[i] [e] [ɛ] [a] [ɔ] [o] [u]）への移行です。にもかかわらずイタリア語は母音

を表記するのに５つの文字を使い続けているので、[e] [ɛ] はどちらも e と、[o] [ɔ] は o と表記されるという、同綴異音語の問題が生じます（たとえば [péska]「漁」、[pɛ́ska]「桃」はともに pesca と表記される）。

　もう１つの大きな音声上の変化は、「口蓋音」と呼ばれる一連の音 [tʃ] [ʃ] [dʒ] [ɲ] [ʎ] の誕生です（それぞれ日本語の拗音「チャ」「シャ」「ジャ」「ニャ」「リャ」の子音部分の音に似ているが、口のさらに奥まった場所で発音される）。頻繁に現れるこれらの音は、イタリア語の聴覚印象の決定に大きく影響を及ぼ

し、また、綴り字上でも、複数の文字の組み合わせで表されるなど、イタリア語独自の姿を示しています。arancia [aránʃa]「オレンジ」、scimmia [ʃímmja]「猿」、giovane [dʒóvane]「若い」、gnocchi [nɔ́kki]「ニョッキ」、gli [ʎi]「定冠詞男性複数形」。ただし、これらの音が生まれたのはかなり古い時代であると考えられるので、それが現在まで残っているということは、やはりイタリア語の保守性を示しているとも言えます。

　イタリア語の保守性は、ラテン語の豊かな動詞変化のかなりの部分を受け継いでいる点にも現れています（ただし、これは他のロマンス語諸語にも通じる特徴です）。それに対して、名詞・形容詞の変化はラテン語に比べて大幅に簡略されています。とはいえ、中性名詞の名残など、古い特徴も見受けられます。　　　　　　　（山本真司）

'E Plêf di Venzon
tal an ch'a tòrnin a jentrâ
tal domo di Bertrant
spieli
a dut il Friûl
che metint denant
fede culture e union
si rive a meti in pîs
ancje ce ch'al jere sdrumât

JENTRADE

O sin contenç di podê butâ fûr chest librut ch'al riparte expressions liturgjichs-musicâls gjavads a des mans di cui ch'al stime tant la prejere, fin a viestîle des espressions plui santis, creis e inconfondibilis che l'anime di un popul e dispon. O sin contenç che lu dôprin duc' chei ch'a continuin a crodi che Sante Liturgie e jé lis Pentecostis di Glesie e - duncje - il prin e plui indispensabil test di catechisim che une Comunitât Cristiane e â.

Il disegn di Diu al è prevoûdût che nestre Glesie Furlane o vessin di laudâlu in cunvigne, jenfri Furlans, Slovens, Todescs e Talians. Al é, chest, un misteri di fonde di nestre Glesie, clamade a meti dacordo cussì marcadis diferensis, ma cence sacrificâlis e, ansit, fasinlis gjoldi dai dons che ognidun al â in propri e de sorpresis continue che si cuanche si prove a sgambiâsai.

3

LAUDATE DOMINUM, OMNES GENTES:
LAUDATE EUM OMNES POPULI.

LAUDAIT IL SIGNÒR DUC' VUÂTRIS, POPUI,
DUC' VUÂTRIS, FORESC', CJANTAIT LA SÒ GLORIE.

HVALITE GOSPODA VSI NARODI,
SLAVITE GA, VSA LJUDSTAVA.

PREIST DEN HERRN, ALLE VÖLKER,
RÜHMT IHN, IHR NATIONEN ALLE.

LODATE IL SIGNORE POPOLI TUTTI,
VOI TUTTE NAZIONI DATEGLI GLORIA.
(Sal 116, 1)

上図はカトリック教会の祈禱書より（イタリア、フリウリ地方で使われているもの）。下図は同じ祈禱書の左側下半分を抜き出したもの。使われている文字はラテン文字およびそれを修正したものだが、ラテン語、フリウリ語、スロヴェニア語、ドイツ語、イタリア語の４つの言語で書かれている。この短い数行に、ヨーロッパの３大言語グループ――ゲルマン（ドイツ語）、ロマンス（フリウリ語、イタリア語）、スラヴ（スロヴェニア語）――の言語が現れていることになる。
(Hosanna. Cjanz e prejeris dal popul furlan, Glesie furlane, TREU Arti Grafiche, Tolmezzo (UD), 1995, pp.2,3)

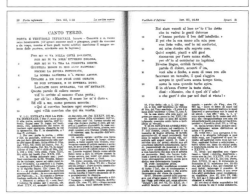

Per me si va ne la città dolente,
per me si va ne l'etterno dolore,
per me si va tra la perduta gente.

上図は、東京外国語大学イタリア文学研究室の入り口に掲げてある、イタリア語の語句。この句は、ダンテの『神曲』からの引用。下図はその引用箇所を写したもの。1920年代に出版された注釈付きテキストの再版。

(Dante Alighieri, La Divina Commedia, testo critico della Società dantesca italiana, riveduto, col commento scartazziniano rifatto da Giuseppe Vandelli, Ulrico Hoepli editore-libraio, Milano, 1979)

ラテン文字
latin
ラタン

フランス語
français
フランセ
インド・ヨーロッパ語族（ロマンス語派）

　フランス語はフランス、ベルギー南部、スイス西部、イタリア北西部、カナダ東部をはじめ海外領土など、世界の約50カ国において使用されており、その言語人口は、第2公用語としての使用を含めると4億人以上とされ、国連公用語のひとつともなっている国際語です。

　歴史的に見るとフランス語はイタリア語やスペイン語などとともにロマンス諸語のひとつですが、言語的特徴は他のロマンス系言語と大きく異なっています。現在のフランス本土となっている一帯は、かつてローマ人たちが来る紀元前後にはケルト人たちが広く住んでいました。彼らの話していたことばケルト語が言語基層となって、幾世代も経て徐々にラテン語と融合した言語なのです。

　先住民族の言葉であるケルト語が後のフランス語に残した遺産には、多くの地名（Lyon「リヨン」など）、農業用語・動植物の名前（mouton「羊」など）

や衣服の名前（chemise「シャツ」など）があり、ケルト人たちの生活・文化をうかがわせます。発音の面でも、早い時期から母音の前舌化する傾向があり、例えばラテン語の U は唇を丸く狭めたまま舌先を尖らせて前の方で発音する［y］に変化しました。また、20進法による数字の数え方などもケルト語に由来するものとされます。たとえば、91は 4 ×20+11（quatre-vingt-onze）のように分解して表現します。

　フランス語は他のロマンス系言語に比して、ゲルマン系言語による影響が多いのも特徴です。後期ローマ時代から数世紀にわたって接触し各地に定住したフランク族やブルグンド族たちの言語から、フランス語はゲルマン語的な肉付けをえました。語彙面では戦争・武具や法律用語（haubert「鎖帷子」、ban「布告」など）、あるいは強い感情を表す語彙（honte「恥」など）もゲルマン語から移植

フランス語最古の文学的作品「聖女ユーラリの続誦」（Séquence de Sainte Eulalie）（880年頃）の写本。繊細で優美な字体が特徴。

されました。音声面では、ラテン語系の単語にも強弱の強さアクセントが被さり、強く発音される音節はますます強く、その多くは二重母音化されます。反対に、弱い音節や母音間の子音は発音されなくなり、結果としてフランス語は、1音節語や2音節語など、音節数の少なく短い単語が圧倒的に大きな比重を占めることになりました。その結果、フランス語には同音異義語が多いのも特徴です。

さて、このようなフランス語形成の歴史的事情は、フランス語の文字表記にも多くの影響を及ぼしました。フランス語の字母（アルファベ alphabet）は英語などと同じくラテン文字系の26文字ですが、同じ u の綴りでも、上述のようにケルト的発音の名残として［y］として発音され、［u］の音には ou という綴りをあてています。フランス語の単語に現れる h の文字は、基本的には発音されません。ラテン語にあった h は、後期ラテン語では消滅してしまいました。しかし、その時代以降に定住したゲルマン民族の単語にあった語頭の h は消えずに導入されて、現代のフランス語の綴りにも有気音の h として残されています。これは、前の単語の語末子音とリエゾン（母

音連結）をしない、などの点で発音上の区別をしますが、表記上は区別をしていないので、注意が必要です。

他のロマンス系言語の文字表記と著しく異なる点として、母音文字や子音文字に付加記号がついている文字がいくつかあることに気がつきます。近代に入って16世紀以降から印刷文化が発展したこともあり、フランス語は混乱していた異体字の整理を始め、合わせ文字 œ を作ったり（cœur［kœːr］「心」など）、アクセント文字の補助記号（ ´ , ` , ^ , ¨ ）をつけるなどの工夫をして、合理化の方向に進みました。たとえば、tête［tɛːt］「頭」、intérêt［ɛ̃tere］「関心」、sévère［seveːr］「厳しい」、Noël［nɔɛl］「クリスマス」など。また、c と区別するために新たにしっぽのような付加記号（じつは小さい s が起原です）を付けて、［s］の発音を示す ç（ça［sa］「それ」など）を作りました。これらの正書法改革のひとつの頂点が1634年に創設されたアカデミー・フランセーズによるフランス語の規範化でした。2000年にわたるフランス語の歴史に起きた音声変化に、ラテン系26文字の制約の中で様々に工夫したプロセスの痕跡は、今でも現代フランス語の綴りのあちこちに垣間みることができます。（富盛伸夫）

パリの街角の道標。劇場 Théâtre の文字が見える。

パリの街角のカフェ。クレープ Crêpes の文字が見える。

ラテン文字
alfabeto latino
アルファベート・ラティーノ

スペイン語
español
エスパニョール
インド・ヨーロッパ語族（ロマンス語派）

　スペイン語は、ラテン語から派生したロマンス諸語のひとつで、スペイン、中南米18カ国、そしてアフリカの赤道ギニア、あわせて20カ国で公用語になっています（スペインでは、独立国ではないプエルト・リコも含めて21カ国ということが多い）。また、昨今ヒスパニック文化が注目を集めているアメリカ合衆国や、かつては公用語だったフィリピンにもスペイン語話者がいて、4億を超える母語話者人口があるといわれています。

　スペイン語はラテン語が変化してできた言語で

すから、ラテン・アルファベットつまりローマ字を使って書かれます。歴史を遡れば、イスラム教徒による征服とキリスト教徒による再征服を反映して、アラビア文字を使ってスペイン語を表記したもの（アルハミア文献）が残っていたり、また1492年にスペインを追放されたユダヤ人たちがヘブライ文字でユダヤ・スペイン語を書いた例はありますが、書かれたスペイン語の歴史全体から見れば例外的なエピソードといっていいでしょう。

　さて、表記はローマ字、しかも発音と綴りはほぼ1対1対応ですから、ある意味では面白くない言語といえそうです。しかしスペイン語独特といえるような特徴はあります。まずあげられるのが

スペイン語最古の文献といわれる「サン・ミリャンの注解」（10〜11世紀）。ラテン語の文献の行間や欄外に注が書き込んである。注の言語はラテン語や当時のロマンス語、バスク語。右下に文の体裁を備えた長い書き込みが見える。

ペルー、リマ。ペルーの独立を宣言した文章。UのかわりにVが使われている。昔UとVが同じ文字の異形にすぎなかった歴史を反映した書き方。（高垣敏博氏撮影）

ñ という文字の存在です。これは日本語のニャ行のような音を表しますが、n とは別の文字です（順番としては n と o の間）。このことは辞書の作りに影響を与えます。少ないとはいえ ñ で始まる単語が n とは別に集められていますし、語中の ñ にも同じ原理が適用されますから、たとえば caña（カニャ）「サトウキビなどの茎」は cana（カナ）「白髪」よりも、そして canto（カント）「歌」よりも後に来ることになります。

　この ñ の上の ˜ は、もともと中世に略記用に使われていて、たとえば nn と書く代わりに ñ と書いていました。しかし ñ 専用というわけではなく、他にも que の代わりに q̃ と書くようなことが行われていました（そういえば、インターネット上では que（ケ）という単語を k という 1 文字で済ます例が見られます。こういう書き方は中世の習慣に戻っているともいえますね）。

　また、アクセント記号も正書法で決められた立派な綴りの一部です。たとえば、término（テルミノ）「終わり（名詞）」、termino（テルミノ）「私は終える（動詞 terminar の直説法現在 1 人称単数形）」、terminó（テルミノ）「彼は終えた（動詞 terminar の直説法点過去 3 人称単数形）」という 3 つの単語は、アクセントの位置だけで意味が区別されます。発音

の違いがきちんと書き表されているので学習者にはありがたいのですが、なぜかネイティブスピーカーはこれが苦手のようで、アクセント記号をうまくつけられない人が大勢います。

　そして、なによりも一番目立つのは逆さまの ¿ と ¡ でしょうか。

Hablo español.	¿Hablas japonés?
アブロ　エスパニョール	アブラス　ハポネス
話す　スペイン語	話す　日本語
（1人称単数）	（2人称単数）
私はスペイン語を話します。	君は日本語を話すの？

　スペイン語では、動詞が主語に応じて形を変えるので主語の代名詞は必須ではありません。語順も固定していないので、平叙文と疑問文はイントネーションで区別されます。ふつう疑問文では文末が上がると説明されていますが、実際には下がることもあります。重要なのは文全体の調子なのです。実は、疑問文は平叙文よりもはじめから高めに発音される傾向があり、文頭の ¿ はこの事実をうまく表しているといわれています。目で見て文の最初から疑問の口調が伝わるのですね。感嘆符も同様。Sí ならばただの「はい」ですが、¡¡¡Síí!!! と書けばとても強い肯定の調子を表すことができます。

（川上茂信）

スペイン、バルセロナのカフェのメニュー。「カフェ・オ・レ（café con leche）とクロワッサンまたはドーナツで1.60ユーロ」。三角形のような「1」が特徴的。小数点ではなくて「'」が使われている。手書きの場合すべて大文字にする人が少なくない。やはりアクセント記号が抜けている。（高垣敏博氏撮影）

スペイン、マドリードの大学で。「君の将来……、そして患者さんたちの将来は？」逆さの疑問符は文の途中に置くこともできる。（高垣敏博氏撮影）

ラテン文字
alfabeto romano
アルファベートゥ　ロマーヌ

ポルトガル語
português
ブルトゥゲーシュ
インド・ヨーロッパ語族（ロマンス語派）

　ポルトガル語はラテン語から派生したことばで、フランス語やイタリア語、スペイン語などの親戚です。現在、ポルトガルとブラジルのほかに、アフリカのアンゴラやモザンビークなどで、2億人を超える人々によって話されています。もともとはイベリア半島のことばですが、15世紀以降のポルトガルの海外進出にともない、アフリカやアジア、ブラジルなど広い地域で用いられるようになりました。ポルトガル語は16世紀に日本人が最初に直接接触したヨーロッパの言語です。最近の日本では、ブラジル・ポルトガル語をよく耳にします。

　ブラジルとポルトガルでは、発音や文法、単語の使い方がかなり異なり、相互理解に支障をきたす状況もありますが、書きことばや標準語では違いが小さく、2つの言語とはみなされません。ポルトガルのポルトガル語は、ポルトガル語圏のアフリカや東ティモールでの標準ですが、アンゴラやモザンビークでは世代交代が進み、母語話者も増えているので、近い将来はアンゴラ・ポルトガル語やモザンビーク・ポルトガル語といった変種も認められるでしょう。ちなみに、スペイン語とポルトガル語はきわめて近く、母語話者同士なら相互理解はほぼ可能です。

　ポルトガル語を表す文字はローマ字です。イベリア半島は古代からラテン語が書きことばで、ローマ字がそのままラテン語から変化したことばを表記するために転用されました。近代語では文字の数と音の種類が必ずしも一致しませんから、母音字に á, à, â, ã などのようなアクセント記号がついたり、lh や nh, ç など複合的な文字使用が目立ちます。

「財産分割の証文」（1192年）。ゴシック体文字。

宮廷で文書がポルトガル語で公式に作成されるのは13世紀半ばからですが、ポルトガル語で書かれた文献は12世紀後半から知られています。初期文献で日付のあるものでは、1175年の「保証人についての覚書」が最古です。従来、1192年の「財産分割の証文」や1193年の「エルヴィラ・サンチェスの遺言書」などが初出文献とされていましたが、近年の研究では12世紀末ではなく、13世紀末または14世紀はじめあたりであることが明らかにされています。

2つの文書に用いられているゴシック体の文字は、ポルトガルでは13世紀末から14世紀はじめにかけて使用され始めたからです。文字の特徴は文化の伝播などを反映するため、場合によっては、文書の年代特定の助けとなることがあります。西欧では一般に写本のローマ字はカロリング体、ゴシック体、ユマニスタ体の順に発展します。15世紀後半から印刷術が普及し、ポルトガル語の初期刊行本では1495年にリスボンで印刷された、ザクセンのルドルフス著の『キリストの生涯』が有名です。

ポルトガル語の文法構造は、他のロマンス語と似たりよったりですが、近隣の諸言語にない特徴として、人称語尾のついた不定詞があります。次の文では、人称不定詞3人称複数形の poderem 「彼らができる」が目的を表す前置詞 para のあとに用いられています。

Eles pediram mais tempo para <u>poderem</u> investigar
人称不定詞3人称複数・彼らができること
o caso.

「彼らは事件を捜査できるようさらに時間を要求した」（Eles 彼らは、pediram 要求した・3人称複数過去、mais tempo より多くの時間、investigar 捜査する・不定詞、o caso その事件）

poderem の代わりに、主語が特定されない語尾なしの不定詞 poder を用いてもほぼ同じ意味ですが、「捜査できる」の主語が「彼ら」であるという強調のニュアンスが失われてしまいます。前置詞 para の後に従属文を導く接続詞の que をおき、同じ内容を接続法を使って表現することもできます。人称不定詞は名詞句が現れる位置に起こります。

（黒沢直俊）

「アフォンソ二世の遺言書」（1214年）。カロリング体文字。

『キリストの生涯』（1495年）。印刷本。

ラテン文字
Latin script
ラテン　スクリプト

英語
English
イングリッシュ

インド・ヨーロッパ語族 (ゲルマン語派)

英語は時代によって3つに区分され、それぞれ「古英語」(700〜1100)、「中英語」(1100〜1500)、そして「近代英語」(1500〜現在)と呼ばれます。近代英語はさらに、「初期近代英語」と「後期近代英語」に下位区分され、20世紀以降の英語は「現代英語」と呼ばれます。

英語をイギリスにもたらしたのは、5〜6世紀のゲルマン系のアングロ・サクソン人で、Englandという言葉は「アングルの土地」Anglaland なのです。ラテン・アルファベットをもたらしたのは6世紀のキリスト教の布教者たちでした。

8世紀から400年の間、ヨーロッパはヴァイキングによる略奪が続き、2つの文化は混交されました。イギリスで871年にヴァイキングを討伐したアルフレッドが、イギリス初の王となりました。古英語は、語彙のほとんどがゲルマン系でしたが、ケルト語、ラテン語、北欧語の借用語もありました。London, Thames, Dover, Salisbury などはケルト語、walk, cheese, dragon はラテン語、Derby や Rugby, they, them 等は北欧語に由来しています。

GOOD FREND FOR Iesvs SAKE FORBEARE,
TO DICG ᴴE DVST ENCLOASED HEARE.
BLESE BE Y[E] MAN Y[T] SPARES ᴴES STONES,
AND CVRST BE HE Y[T] MOVES MY BONES.

フィジーの公用語は、英語、フィジー語、ヒンディー語である。この広告でも、挨拶語としてよく知られるナマステも含め、英語表記で記されている。（町田和彦氏撮影）

Tha	mi	a' coiseachd
Bha	iad	a' dol
Thàinig	thu	a' bruidhinn
Chunnaic	sinn	a' cluich
Chaidh		a' seinn
Fhuair		a' snàmh
	còmhla ri	
	Dadaidh	
sgoil	Mamaidh	sgoinneal
amar-snàmh	co-ogha	breagha
pairc		beag
taigh	caraid	mòr
		àrd

ストラトフォード・アポン・エイヴォン (Stratford-upon-Avon) にある、シェイクスピアが埋葬されたとするホウリー・トリニティ教会 (Holy Trinity Church) の墓碑銘。

英国でも地域ごとに特色ある英語が使われている。スコットランドも独特の語彙と発音があるが、それとは別にスコットランド地域ではゲール語教育も行われている。1行目は英語で表すと I am walking となる。（岩田託子氏撮影）

古英語では、名詞、代名詞、形容詞などが性、数、格によって変化し、動詞は時制、法、人称等も変化がありました。そのような格変化があったため、語順はかなり自由でした。

征服王ウィリアムによる1066年のノルマン人のイギリス征服が中英語の始まりで、支配者階級はノルマン人となり、公用語はフランス語となり、国家、政治、法律、宗教、食物等に関して、フランス語が用いられました。Palace, religion, justice, army, fashion, supper, art 等です。

1215年のマグナ・カルタによってイギリスの支配階級は母語に目覚め、再び英語を用いるようになりました。同時に、フランス語も使われていました。百年戦争（1337〜1453）で英仏は敵国となり、1362年のウェストミンスター議会が英語をイギリスの公用語としました。1476年にカクストン（Caxton）がイギリスに印刷術を導入し、英語の印刷が始まりました。このことによって綴字法が確立することになります。

12世紀には大学が誕生し始めました。12世紀中頃のオクスフォード、1209年のケンブリッジ、1411年のセント・アンドルーズ等々です。

中英語期では文法が変化し、語尾変化がなくなり、語順が固定化し、前置詞、助動詞が多くなり

KELMSCOTT PRESS, UPPER MALL, HAMMERSMITH.

July 28th, 1897.

Note. This is the Golden type.
This is the Troy type.
This is the Chaucer type.

英国の詩人でデザイナーでもあったウイリアム・モリスは、中世の書体を研究し、自ら設立したケルムスコット・プレスで3つの書体を作った。ここで活字体3種の見本を示している。上から、ゴールデン活字、トロイ活字、チョーサー活字。

ました。この時代の文学の代表として、ジェフリー・チョーサー（Geoffrey Chaucer）の『カンタベリー物語』*The Canterbury Tales*（1387頃〜1400）があります。

続く初期近代英語の時代は、『マクベス』*Macbeth* や『ロミオとジュリエット』*Romeo and Juliet* 等のウィリアム・シェイクスピア（William Shakespeare）たちが活躍したイギリスの文芸復興期にあたります。また、ラテン語（album, area）、ギリシア語（camera, idea）、フランス語（chocolate, pioneer）、イタリア語（violin, macaroni）、スペイン／ポルトガル語（carnival, guitar）等が英語に入ってきました。エリザベス女王1世以降、植民や移民によって領土が拡大し、英語の使用範囲が世界に広がっていきました。

宮廷を中心とした話しことばが文化人や学校で使われ、これが標準語となりました。一方、16世紀のロンドンで広く用いられていた口語があり、のちにコクニー（Cockney）となります。労働者のことばとされ、『マイ・フェア・レディ』*My Fair Lady* のイライザのロンドン方言がこれにあたります。

後期近代英語の時代に特筆すべきものとしては、アメリカの独立（1776）と、それによる英語の広がり、およびイギリス帝国による植民地の増加と、それにともなう英語の広がりがあげられます。

14世紀から18世紀にかけて、母音が大きく変わり、今日に近いものになりました。

今日、国際機関等における情報伝達手段としての英語使用の増大や、教育や文化全体にわたって、英語の重要性は大きくなり、英語が国際語となっていることは否めません。語彙も増大し、略語、コンピュータ英語が増加しつつあります。一方、人種差別語や性的差別語が問題視されることも多くなり、現代英語も日々変化しつつあります。

（中郷安浩）

ラテン文字
Lateinisches Alphabet
ラタイニッシェス　アルファベート

ドイツ語
Deutsche Sprache
ドイチェ　シュプラッヒェ

インド・ヨーロッパ語族（ゲルマン語派）

　ドイツ語は、ドイツ連邦共和国、オーストリア共和国、リヒテンシュタイン公国の公用語であり、スイス連邦、ルクセンブルク大公国、ベルギー王国の公用語の一つです。また、ドーデ『最後の授業』で有名なアルザス・ロレーヌ地方や南チロルなどの地域でも、ドイツ語が話されています。現在、ヨーロッパだけで9200万人のドイツ語母語話者がいると推計されていますが、ドイツ語話者の地理的分布には、歴史的な経緯が深く関わっています。

　ドイツ語は、中世ラテン語とともに、神聖ローマ帝国の公用語であり、また12世紀以降の、ドイツ人の東方移住の結果、東ヨーロッパやロシアの一部にまでドイツ語話者が広がり、今日まで残る「言語島」（Sprachinsel）を各地に生み出しました。ドイツ語話者の移民は近世・近代においても断続的に起こり、帝国主義時代のドイツ帝国がアフリカに形成した植民地では、ドイツ語が公用語でした。英語を除けば、フランス語と並ぶステータスをもつドイツ語は、学術言語（医学用語など）として使用されるとともに、ドイツを建国の範とした日本をはじめ、世界中の国々で第二、第三外国語として習得対象となっている国際言語といえます。

　ドイツ語を表記するさいに用いられるアルファベット（ドイツ文字 Deutsches Alphabet）は、AからZまでのラテン文字（26文字）と、ウムラウト（Umlaut）と呼ばれる3種類の変母音（ウムラウト記号Ää・Öö・Üü）、およびエスツェット（ß）の計30文字から成ります。ウムラウトおよびエスツェット

図①　シュヴァーベン体。

は、Ä＝AE、Ö＝OE、Ü＝UE、ß＝SSと代用表記されます。他に、ドイツ語の表記上の特徴をあげれば、名詞の語頭を大文字表記すること（Großschreibung）、複数の名詞を連結して長大な合成名詞が生み出されること（例：Rindfleisch/etikettierungs/überwachungs/aufgaben/übertragungs/gesetz「牛肉偽装監視職務委嘱法」）、などがあります。言語の正しい表記法を正書法（Rechtsschreibung）と言いますが、ドイツでは1996年、約1世紀ぶりに正書法が改正されました（施行は1998年以降）。

文字としてはラテン文字を基本とするドイツ語ですが、表記の上でドイツ語の個性を体現するのが、書体（ドイツ書体 Deutsche Schrift）です。最古のドイツ語である古高ドイツ語は、フランク王国時代のゲルマニアで話されていた俗語でしたが、8世紀に入り、とくにカール大帝の奨励で、文字に書きとめられるようになります。カロリング・ルネサンスにおける書体改革以降、ドイツ語はラテン語と同じカロリング小文字体で表記され、その後も併用されるラテン語とともに、ゴシック体、人文主義書体と、時代とともに変化していきます。

ドイツ語に固有の書体が現れるのは、ドイツ語

図③　ズュッターリン体。

図②　フラクトゥーア体。

が文筆語としての地位を獲得する中世末期以降です。15世紀には、印刷書体として用いられたシュヴァーベン体［図①］（Schwabacher）が、16世紀以降は、とくにドイツ帝国の印刷物公用書体とされたフラクトゥーア体［図②］（Frakturドイツ文字、通称：「髭文字」「亀の子文字」）が用いられるようになります。近代に入っても両書体が使用され続けましたが、1915年には、プロイセン文化省の委託でズュッターリン（Ludwig Sütterlin）がフラクトゥーア体をベースに考案した基礎筆記体、ズュッターリン体［図③］（Sütterlin 1941年まで使用）が初等教育に取り入れられました。一時、このズュッターリン体や国際書体となりつつあったアンティクア体（Antiqua）に押されていたフラクトゥーア体が、1930年代には、ナチスによって再興され、力強きドイツ民族を体現する民族の書体として賞揚されました（ただし1941年まで、戦後一時的に復興）。

そのため、フラクトゥーア体は、今でもなお、国家社会主義時代の「負の記憶」を連想させる書体です。

戦後、世界的影響力をもつ数々の書体を案出してきたドイツにとって、デザインの一部としてのタイポグラフィーは最も得意とする分野の一つです。現在のドイツでは、シンプルなゴシック系書体が愛好されています。
（千葉敏之）

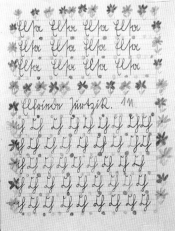

ラテン文字
latinka
ラチンカ

チェコ語
český jazyk
チェスキー　ヤズィク
インド・ヨーロッパ語族（スラヴ語派）

　ヨーロッパのほぼ中央に位置するチェコ共和国。この国の公用語がチェコ語で、およそ1000万人いる国民のほとんど全員（約95パーセント）が話しています。チェコ以外では、地理的に近くかつ歴史的にも関係の深いスロヴァキアやポーランドといった国々、そして移民の子孫が住むアメリカやオーストラリアなどにも、チェコ語を話す人々がいます。本国以外のチェコ語の人口はあわせて50万人ていどといわれています。

　チェコ語を書くときに用いる文字は、ラテン文字（ローマ字）です。いくつかの文字の上には補助記号を書き加えます。補助記号には ´、°、ˇ の3種類があります。このような記号を加えることによって、1つの文字が1つの音を表すという方

式が徹底されています。したがって、原則として書いてあるとおりに読めばいいわけです。たとえば、a という文字は「ア」と発音します。この文字の上に ´ をつけて á とすると「アー」と長く発音する文字になります。つまり、´ はアクセントを表すのではなく、長く伸ばして発音することを示す記号なのです。° も長く伸ばす記号です。u「ウ」の上にしかつきません。ですから、ú も ů も「ウー」と発音します。また、ˇ は主に子音を表す文字の上について、少し発音を変えます。たとえば、c「ツ」の上にこの記号をつけて č とすると「チュ」と発音します。唯一、ch だけが2文字で1音です。上あごの真ん中あたりで空気がこすれる音をともなう「フ」で、チェコ語のアルファベット

グラゴール文字の記念切手。左の2人の人物が、この文字を考案しチェコへもたらしたキュリロス（キリル）とメトディオス（メトディー）。右側の2つのAの上にある文字がグラゴール文字。これもAの音を示す。

レストランの看板。現在は、書籍の印刷に使われることのない字体だが、いかにも老舗といった古風な雰囲気が出る。

の並べ方では h の次に来ます。

　補助記号の力を借りて1つの文字が1つの音を表すという方式を最初に提唱した人は、ヤン・フスです。14世紀末から15世紀初頭にかけて活躍した宗教改革者で、免罪符の販売を非難したために火刑に処せられたことで知られています。フスは民衆にわかりやすいことばで語りかけるよう、こころがけました。そして、ことばづかいだけではなく書き方にも工夫をこらして、上に記号をつける方法を提案する本を書いています。

　では、フス以前のチェコ語はどう書いていたのでしょう。チェコへキリスト教が伝わったのは8世紀頃と考えられています。南や西から宣教師たちがやってきてラテン語を用いる典礼様式を伝え、このとき、ラテン文字も一緒にもたらされました。ただ、チェコには別の文字もやってきたことがわかっています。グラゴール文字といいます。9世紀半ばにビザンチン帝国から東方の典礼様式が伝えられましたが、用いられた言語は古代スラヴ語といい、グラゴール文字が使われていたのです。

でも、チェコでは11世紀末にこの典礼様式が排斥されて、グラゴール文字は結局根づきませんでした。

　ラテン文字を受け入れた当初は、この文字をチェコ語にもそのままごく単純にあてはめて書いていました。その結果、c という文字が「ク」、「ツ」、「チュ」のいずれの音も表すということになってしまいました。こんな状態が13世紀末まで続きます。あまり体系的とはいえません。そこで、14世紀になると、2つ以上の文字を組み合わせることによって、1つの音を表そうとする工夫が見られるようになります。cz は「ツ」、chz なら「チュ」といった具合です。組み合わせ方の規則はなかなか複雑だったために、簡略ヴァージョンも作られました。この方式は補助記号を用いる方式と18世紀末まで併用されてきました。フスが現れたからといって、ただちに1字1音方式に移行したわけではなかったのです。18世紀末から19世紀にかけて、文字や綴りの規則が徐々に整えられていき、今に至っています。　　　　　（金指久美子）

薬局の看板。LÉKÁRNA「レーカールナ」とは、ずばり薬局のこと。

車の窓に愛のメッセージ。「ハーイ、クバーチェック♡」。「クバーチェック」は「ヤクブ」の愛称形。

ラテン文字
pismo łacińskie
ピスモ　ワチンスキェ

ポーランド語
język polski
イェンズィク　ポルスキ
インド・ヨーロッパ語族（スラヴ語派）

　ポーランド語は総人口およそ3800万のポーランド共和国の公用語です。このほかに、ポロニアと呼ばれる世界各国・地域に散在するポーランド人社会（推定1000万人）でも使用されています。

　ポーランド語はスラヴ語派に属します。スラヴ諸語の表記に使われる文字は2つあります。とい

うのも、文字はスラヴの世界にキリスト教とともに普及したからです。ロシア、セルビア、ブルガリアなど東方正教が浸透した地域ではキリル文字が導入され、ポーランドやチェコなどローマ・カトリックを受容した地域にはラテン文字が定着しました。

1997年4月に発布された「ポーランド共和国憲法」の冊子の表紙。「ポーランド共和国憲法」1ページ目に収録されているクファシニェフスキ大統領から国民への書簡。

Prezydent
Rzeczypospolitej Polskiej

KONSTYTUCJA
RZECZYPOSPOLITEJ
POLSKIEJ

Szanowni Państwo !

Przekazuję Wam Konstytucję Rzeczypospolitej Polskiej - najwyższą kartę Praw i Obowiązków obywatelskich, świadectwo suwerenności i niezawisłości Państwa Polskiego.

Nie ma doskonałych ludzi, ani doskonałych praw - najszlachetniejsze intencje prawodawców weryfikuje samo życie i jego zmieniające się warunki. Nad tekstem Konstytucji pracowali wybitni politycy i eksperci. Jest ona efektem szerokiego politycznego i światopoglądowego kompromisu, szanującego zróżnicowanie naszego społeczeństwa. Jestem przekonany, że normy konstytucyjne sprostają wymaganiom polskiej rzeczywistości, tym dzisiejszym i tym przyszłym, które dopiero przed nami.

Ufam, że w tej Konstytucji odnajdą Państwo swoje nadzieje i oczekiwania. Że upewni Was ona, iż to właśnie Wy - Obywatele Rzeczypospolitej - tworzac wspólne państwo jesteście jego najważniejszym podmiotem i suwerenem. Że razem tworzymy państwo silne i bezpieczne, zdolne do zaspokojenia potrzeb wszystkich Polaków, z którego będą dumne obecne i następne pokolenia.

Życzę Państwu, życzę naszym Rodakom, aby nowa Konstytucja stała się spoiwem łączącym nas wszystkich w trosce o naprawdę jedyne wspólne dobro, jakim jest dobro Rzeczypospolitej.

Aleksander Kwaśniewski

Warszawa, 6 kwietnia 1997 r.

ポーランド語友の会の機関誌 Język Polski（ポーランド語）。1913年、クラクフで創刊。

JĘZYK
POLSKI
ORGAN TOWARZYSTWA
MIŁOŚNIKÓW JĘZYKA POLSKIEGO

LXXIV

Издание С. Я. ЯМБОРЪ.
Grand-Prix Рим 1911 г.

Jeszcze Polska nie zginęła.
···· Гей Славяне. ····

ПОЛЬСКІЙ
НАЦІОНАЛЬНЫЙ
ГИМНЪ.

СОБСТВЕННОСТЬ ИЗДАТЕЛЯ
№ 583. Издатель С. Я. ЯМБОРЪ.
МОСКВА.
Больш. Тверская-Ямск. свой дом № 47. = Телеф. 240-27
10 к.

帝政ロシア時代にモスクワで刊行された『ポーランド未だ滅びず』（現在の国歌）のロシア語版。タイトルはポーランド語（ラテン文字）。それ以外はロシア語（キリル文字）。

「連帯」Solidarność のロゴ。字母 n の上部が紅白のポーランド国旗になっている。(「連帯」のホームページより)

どちらの文字体系がスラヴ語の表記に適しているか。純粋に言語学的視点に立てば、軍配はキリル文字に上がるでしょう。なにしろキリル文字はもともとスラヴ語の表記のために、1字1音のアルファベットの原則に則って創られた文字なのですから。

しかし、ラテン文字を採用したポーランド語正書法の3つの工夫には、目を見張るものがあります。工夫の第一は補助記号を使って字母の数を増やしたことです。たとえば、s（エス）の上に小さな斜線を付けて ś（エシ）という字母を創りました。また、母音の中に鼻母音が2つあり、それぞれ尻尾の付いた ą（オン）と ę（エン）で表します。かつてスラヴ祖語に存在したと推定され、現代のスラヴ諸語の中でポーランド語だけに残る鼻母音です。次の工夫は連字です。s と z（ゼット）を並べ sz と綴って [ʃ] の音を表します。3番目の工夫は、字母 i に軟音記号の役目も与えていることです。たとえば、ポーランド語では語形変化のさい、しばしば硬子音と軟子音の交替が生じます。たとえば、「ワルシャワ Warszawa（ヴァルシャヴァ）に」は、w Warszawie（ヴ・ヴァルシャヴィェ）となりますが、ここでの i は母音ではなく、直前の w がヴ [v] ではなく、軟子音ヴィ [vʲ] であることを示しています。

ポーランド語は言語類型論的には典型的な屈折語です。屈折、つまり語形変化によって動詞や名詞・形容詞が形を様々に変えます。とくにポーランド語では、話し手が自分の性、聞き手の性、話題にする人の性をいつも意識しながら語形を選ばなければなりません。たとえば、「昨日、私は知人に手紙を書きました」をポーランド語で言う場合、「私」が男か女か、「知人」が男か女かによって、4とおりの言い方があります。

Wczoraj napisałem list do znajomego.　（男が男に）
フチョライ　ナピサウェム　リスト　ド　ズナヨメゴ

Wczoraj napisałem list do znajomej.　（男が女に）
フチョライ　ナピサウェム　リスト　ド　ズナヨメイ

Wczoraj napisałam list do znajomego.　（女が男に）
フチョライ　ナピサウァム　リスト　ド　ズナヨメゴ

Wczoraj napisałam list do znajomej.　（女が女に）
フチョライ　ナピサウァム　リスト　ド　ズナヨメイ

また、「私たちは散歩をした」と男が言う場合は、いつでも Spacerowaliśmy です。ところが女性が言う場合は、「私たち」の中に男が含まれていれば Spacerowaliśmy ですが、女だけなら Spacerowałyśmy と言い分けなければなりません。前者は男性人間形と呼ばれる形です。

男性優遇と思われかねない文法カテゴリーの存在に憤慨された方のために、ポーランド語の歴史に残るひとつのエピソードを紹介しましょう。13世紀にラテン語で書かれた、とある修道院の記録の中から、ポーランド語で書き留められた最古の文が発見されました。それは、ある男が自分の妻に投げかけた次のことばです。

„daj, ać ja pobruszę, a ty poczywaj"
ダイ　アチャ　ヤ　ポブルシェン　アティ　ポチヴァイ

「（碾臼を）寄こせ、こんどは俺が回すから、お前は休め」

筆者には、女性をとても大事にするポーランド人男性、レディー・ファーストの徹底したポーランド社会を象徴するような文に思われてなりません。

（石井哲士朗）

ラテン文字

latin betű

ラティン　ベテゥー

ハンガリー語

magyar

マジャル

ウラル語族（フィン・ウゴル語派）

Üdvözöljuk a magyar betűk világában!
ハンガリー語の文字の世界へようこそ！

　ハンガリー語（自称はマジャル語）は、ヨーロッパの中央部に位置するハンガリー共和国とその周辺諸国で話されています。系統的にはウラル語族に属しており、周辺諸国の言語とは系統を異にしています。ウラル系の言語には、遠くはなれたフィンランド語やエストニア語があります。話し手の数はおよそ1450万人で、その3分の2がハンガリー共和国に暮らしています。

　ハンガリー語の話者の祖先は、もともとウラル山脈のあたりにいたのが、5世紀頃に移動を開始し、黒海と地中海の北部を経由して、9世紀末に現在の地にたどりつきました。東方からヨーロッパに進出した民族のなかで、今日にいたるまで、もとの言語を保持しているのはハンガリー人ぐらいでしょう。それは初代の国王イシュトヴァーン

がキリスト教を受け入れて、ヨーロッパ文明に同化しようとしたからだといわれています。そのとき同時に取り入れたのが教会の文字、すなわちラテン文字でした。

　最初はハンガリー語の地名などをラテン語の文章のなかで書き記すことから始まって、だんだんとハンガリー語の文章そのものがラテン文字で記述されるようになっていきました。その過程で様々な工夫がほどこされ、長い歴史を経て、現在の正書法が確立したのです。

［ハンガリー語のアルファベット］

> a, á, b, c, cs, dz, dzs, e, é, f, g, gy, h, i, í, j, k, l, ly, m, n, ny, o, ó, ö, ő, p, q, r s, sz, t, ty, u, ú, ü, ű, v, w, x, y, z, zs

　ハンガリー語では、これらのアルファベットのそれぞれが1つの音に対応していますので、基本

首都ブダペストの街角には文字があふれている。

NYITVA TARTÁS	
Hétfő	10.00 - 19.00
Kedd	10.00 - 20.00
Szerda	10.00 - 20.00
Csütörtök	10.00 - 20.00
Péntek	10.00 - 20.00
Szombat	09.00 - 18.00
Vasárnap	09.00 - 18.00
Ünnepnap	ZÁRVA

月曜から日曜までのお店の開店時間の表示。上から下へ月曜から日曜まで記されている。なお、祝日は閉店。月曜は「週の頭」を意味する hétfő。ő はハンガリー語にしかない文字だ。

的には書いてあるとおりに読めば発音できます。また、q, w, x, y は外来語などでまれに使われるだけです。

　ラテン文字だけでは書き表せない音をどのように表記するか、様々な工夫がなされました。そのひとつがラテン文字に付け加える補助記号です。ハンガリー語では母音と子音に長短の区別があります。長母音には、短母音の上に短い斜線の長音記号をつけます（á, é, í, ó, ú）。これらはアクセント記号ではありません。ドイツ語にみられるようなウムラウト記号を使って書き表す短母音（ö, ü）に対応する長母音には、二重の短い斜線をつけます（ő, ű）。この記号はハンガリー語にしかないものなので、これが出てくれば、それはハンガリー語だということがわかります。小さな記号ですが、あなどるべからず、次のようにひとつまちがえば、たいへんなことになります。

　　Megörült.　　彼は喜んだ。
　　Megőrült.　　彼は気が狂った。

　長子音（日本語のつまる音に相当する）はラテン文字を2つ重ねて書きます。

kedd　　　　　　火曜日

　また、2つ（3つ）のラテン文字を組み合わせて書き表す子音（cs, dz, dzs, gy, ly, ny, sz, ty, zs）がありますが、これらの子音の長い音は、最初のラテン文字だけを2回重ねて書きます。

megy　　　　　　行く
meggy　　　　　サワーチェリー

　ハンガリー人が現在の地に定住する以前に使われていたかもしれない文字に、ロヴァーシュ文字と呼ばれるものがあります。刻み文字という意味で、もともとは刃物などで木や石に刻みつけた楔形文字の一種です。チュルク系の文字（ソグド文字など）と親縁関係にあり、なかにはギリシア文字や古代スラヴ人のグラゴール文字から借用された文字もあります。今日まで残っている最古のロヴァーシュ文字には15世紀の断片的な資料しかなく、この文字の詳細については明らかになっていないのが実情です。　　　　（早稲田みか）

ロヴァーシュ文字の指輪。ロヴァーシュ文字は現在では主にデザインとして使われている。

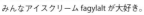

みんなアイスクリーム fagylalt が大好き。

出口。英語とピクトグラムは各国で共通。

手書きの文字はくせがあって読みにくい。スイカ görögdinnye（ギリシアのウリ）の値段は1キロ249フォリント、メロン sárgadinnye（黄色いウリ）は599フォリント。

<table>
<tr><td>

ラテン文字
latinalainen

ラティナライネン

</td><td>

フィンランド語
Suomi

スオミ

ウラル語族（フィン・ウゴル語派）

</td></tr>
</table>

　フィンランド語は、主にフィンランド共和国で話されていることばです。総話者数は約500万人で、そのうちの93パーセントはフィンランド共和国内の人々です。フィンランド共和国外では、ロシア連邦カレリア共和国やレニングラード州西部、スウェーデン北部（トルネ川渓谷地域）、ノルウェー北部（フィンマルク地域）などフィンランド語系住民が多数住む地域で話されています。

　なお、フィンランド共和国では、フィンランド語のほかにスウェーデン語も公用語として定められていて、人口約530万人（2008年現在）のうち94パーセント弱がフィンランド語を、約6パーセントがスウェーデン語を母語としています。また、

サーメ語（ラップ語）も国語に準ずる言語として認定されており、人口の約0.1パーセントがサーメ語を母語としています。

　フィンランド語は、地理的にスウェーデン語やノルウェー語またはロシア語と似ていると思われがちですが、ウラル語族フィン・ウゴル語派バルト・フィン諸語の一つで、ヨーロッパの大部分の言語と文法や語彙は大きく異なっています。もっとも近い言語はエストニア語、ハンガリー語とは遠い親戚にあたります。また、日本語と同じ膠着語に分類されます。

　フィン・ウゴル語派の故地はウラル山脈より西のロシア中央部・北部と考えられ、起源は紀元前

HAI（ハイ、鮫の意）というメーカーの長靴。

フィンランド語学習用のドリルの表紙。

学校の前などにある速度を落とさせるためのロードブロック（ヒダステ）ありの標識。

カフェの看板「リエコ岸の夏季限定カフェ　トルニ（塔の意）　開店時間　10－17　毎日」。

3000年紀にまで遡ります。東方起源の言語ですが、発達の過程でインド・ヨーロッパ系の諸言語と古くから接触が絶え間なく起こっており、バルト系、ゲルマン系など西からの影響をかなり受けています。その後スラブ系との接触もあり、多くの借用語が取り入れられました。文語の基礎が確立されたのは16世紀で、現存するもっとも古いフィンランド語のテキストもその時代のものですが、フィンランド語の語彙の中には、ウラル祖語およびフィン・ウゴル祖語の時代（5000〜7000年前）のものも残っています。

　フィンランド語は、ラテン・アルファベットの基本26文字にäとöを加えた28文字を用いて表記されます。（スウェーデン語で用いられるåを加えて29文字とする場合もあります。）

[アルファベット表]

Aa アー	Bb ベー	Cc セー	Dd デー	Ee エー	Ff エフ	Gg ゲー	Hh ホー	Ii イー	Jj ユィー
Kk コー	Ll エル	Mm エンム	Nn エンヌ	Oo オー	Pp ペー	Qq クー	Rr アル	Ss エス	Tt テー
Uu ウー	Vv ヴェー	Ww カクソイスヴェー	Xx エクス	Yy ウー	Zz ツェタ	Åå アー	Ää エー	Öö オー	

　これらのうち、母音はa・e・i・o・u・y・ä・öの8つで、b・c・q・w・x・zおよびåは主に外来語の表記にのみ用いられます。長音は同じ母音を2つ書いて表し、子音が2つ書かれている場合は、詰まる音を表します。

kiitos　　　　意味「ありがとう」
キートス
totta kai　　意味「もちろん」
トッタ　カイ

　発音は非常にシンプルで、基本的にローマ字読み、アクセントは常に第一音節に置かれます。ただしフィンランド語特有の読みの文字が5つありますので注意してください。

j ：「ヤ行」

r ：巻き舌の「ラ行」

y ：唇を丸く突き出してiを発音しようとすると出る音「ウュ」

ä ：「ア」と「エ」の間の音

ö ：唇を丸く突き出してeを発音しようとすると出る音「オェ」

　語順は、基本的に英語と同じで、主語－動詞－目的語です。疑問文の場合は動詞を疑問形にして主語と入れ替えます。

平叙文	Hän ハン 彼は	rakastaa ラカスター 愛しています	hänta ハンタ 彼女を
疑問文	Rakastaako ラカスターコ 愛していますか	hän ハン 彼は	häntä? ハンタ 彼女を

　ここで面白いのが、フィンランド語では「彼」も「彼女」も同じ語のhänで表されます。（複数形はhe）ですから、彼が愛しているのは彼かもしれませんし、はたまた彼女が彼女を愛しているのかも。なぜ語彙に区別がないのかは定かではありませんが、フィンランドは男女平等の国だからとか、女性が強いからとか?!

　この他フィンランド語の特徴をあげると、

• 名詞が動詞との関係によって格変化する
• 名詞に性の区別がない
• 動詞が時制や人称によって活用する
• 形容詞が名詞と同じ格変化をする
• 冠詞がない
• 日本語の助詞に似た格がある
• 前置詞がなく日本語と同じように語尾の変化によって表す

日本語に似た特徴ももっているフィンランド語には、日本語と似た音で違う意味の単語もたくさんあります。日本人にはとても親しみやすい言語と言えるでしょう！

読み方	フィンランド語	意味
パー	pää	頭
ハイ	hai	サメ
カニ	kani	うさぎ
シカ	sika	ブタ
スシ	susi	おおかみ
ハナ	hana	蛇口
プータロ	puutalo	木の家

ほかにもまだまだいろいろ…。アキ（Aki）やミカ（Mika）は男性の名前だし、パーヤネン（Paajanen）、アホ（Aho）なんていう苗字もあります。　（青木エリナ）

ラテン文字
huruf Latin
フルッフ　ラティン

インドネシア語
bahasa Indonesia
バハサ　インドネスィア
オーストロネシア語族（ヘスペロネシア語派）

　東南アジアの言語というと、エキゾチックな（あるいは得体の知れない？）文字を使うものだと思ったり感じたりするようで、インドネシア語がラテン文字（いわゆるアルファベット）を使うと知って驚く人がかなりいます。

　インドネシア語は、2億超の人口を抱えるインドネシア共和国の国語・公用語です。また2002年に独立した東ティモール民主共和国では、憲法で英語と並んで実用語と定められています。

　古来、東西の交易の重要なルートであったマラッカ海峡のあたりではムラユ語が用いられていました。東西の交易にとどまらず、現在のインドネ

シア地域のあちこちとも交易が行われており、ムラユ語はこれらの交易を結ぶ交易語（リンガ・フランカ）となっていました。17世紀初頭から約300年にわたりオランダの植民地となりましたが、オランダ領東インドにあたる地域が後にインドネシアとして独立するさいに、すでに広まっていたムラユ語が「インドネシア語」という名称を与えられ国語と定められたのです。

　インドネシア語（ムラユ語）は固有の文字をもっていませんでした。古い時代のムラユ語碑文は、パッラヴァ文字で書かれています。またジャウィと呼ばれるアラビア文字表記が用いられていた時

ジャワ島中部ジョグジャカルタにて。KANTOR GUBERNUR DAERAH ISTIMEWA YOGYAKARTA「ジョグジャカルタ特別州州知事庁舎」とインドネシア語（ラテン文字）で記されている上にジャワ文字が見られる。

代もあります。ラテン文字による表記は、オランダ統治時代の1901年に初めて公式の綴り字が作られ、その後何度かの改定を経て、1972年に現行の正書法が定められました。

インドネシア語の現行表記はほとんどローマ字読みに対応しており、しかも特殊な記号を用いることがないため、文字と発音の関係を学ぶ上での苦労はありません。気をつける点としては、e が「エ」と唇を丸めずに軽い感じで発音する「ウ」の2つの音を表し、一方 ng（いわゆる鼻濁音），ny（「ニャニィニュニェニョ」の子音），kh（強くこすれるハ行の子音），sy（「シャシィシュシェショ」の子音）は2文字で1つの音を表す、ということです。

固有名詞では1972年以前の綴りが若干残っています。たとえば、首都ジャカルタのスカルノ・

西部ジャワ州バンドゥンで見た店の看板。上はオランダ語でParijs Van Java「ジャワのパリ」、その下はインドネシア語Rumah「家」に英語のFashionが続き「ファッションハウス」。

西部ジャワ州の州都バンドゥンにて。JL. Ciumbuleuit「チウンブルイット通り」という道路名の表示。下は古スンダ文字による表記。

ハッタ国際空港（Bandar Udara Internasional Soekarno-Hatta）は、初代の正副大統領の名を取っていますが、スカルノ（Soekarno）は、「ウ」を現行の"u"ではなく"oe"という古い綴り方をそのまま残してあります。これは「ウ」を oe と表記するオランダ語の影響によるものです。

「多様性の中の統一」という国家のスローガンが示すとおり、インドネシアには多種多様な民族集団とそれぞれの地域語があり、その数は数百にものぼります。ジャワ島の中部から東部の3分の2はジャワ、西側の残り3分の1のほとんどがスンダという文化圏で、それぞれジャワ語とスンダ語という言語が用いられています。ジャワ文化圏の中心地ジョグジャカルタでは、通りの表示や建物の名前などところどころにジャワ文字の表記が見られます。ジョグジャカルタほどではありませんが、スンダの中心都市バンドゥンでも古スンダ文字による表示が見られます。実際にはこれらの言語の記述に現在ではラテン文字が用いられるのですが、それぞれの地域の独自性をアピールするかのように、かつて用いられていた独自の文字を掲げているのです。　　　　（降幡正志）

スカルノ・ハッタ国際空港のトイレにあった「きれいにお使い下さりありがとうございます」の掲示。一番下に空港名が書かれている。Soekarno の "oe" が「ウ」の音を表す。

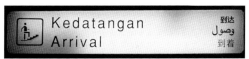

ジャカルタのスカルノ・ハッタ国際空港にて。左側にインドネシア語と英語、右側には中国語、アラビア語、そして日本語の表記も見られた。

ラテン文字
Chữ quốc ngữ
チュー　クオックグー

ベトナム語
Tiếng Việt
ティエン　ヴィエト
オーストロアジア語族（ベト・ムオン語派）

　ベトナム語は、ベトナム社会主義共和国（人口約8600万）で公用語として使用されている言語で、クオックグー（Quốc ngữ／国語）と呼ばれるローマ字で表記します。ベトナム語のローマ字化の歴史をたどると、1651年にフランス人宣教師アレクサンドル・ド・ロードが著した『アンナン語・ポルトガル語・ラテン語辞典』において現在に近いものが示されています。しかし、それが、ただちに民間に普及したわけではなく、本格的な普及は19世紀後半にベトナムがフランスの植民地支配下に入ってから、当時のコーチシナ（メコンデルタを中心としたベトナム南部地域）において進められました。そしてこのクオックグーはとりわけ20世紀前半において民族主義的運動、共産主義運動を通じてベトナム人が自らの主張を発信するためのもっとも基本的な武器となりました。

　ベトナム語では、F, J, W, Z の各文字は使用しませんが、英語のアルファベットにはないĐ, Ă, Â, Ê, Ô, Ơ, Ư の各文字があります。ベトナム語には原則として6つの声調があるため、A, Á, Ả, À, Ã, Ạ のような形で主母音の上下に声調記号を付けるか、無記号で表示します。複雑な発音と声調をきちんとコントロールしないと卑猥な意味のことばにとられかねません。ローマ字表記だからと甘く考えると大変なしっぺ返しを食らう可能性も大きいので、外国人にとっては危険極まりない言語であるといっても過言ではありません。

　ベトナム語には中国語やタイ語と同様に語形変化はなく、単語の並べ方が文を構成する上で重要なカギを握ることになります。語順はたとえば、ベトナム社会主義共和国の場合、"Nước ［ヌオック＝国（くに）］ Cộng hoà ［コンホア＝共和］ xã hội chủ nghĩa ［サァホイチューギア＝社会主義］ Việt Nam ［ヴィエト

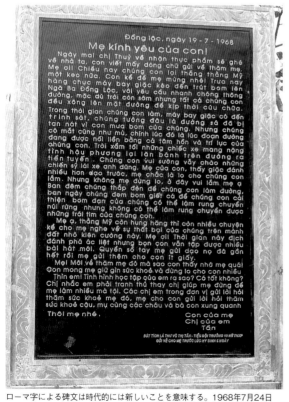

ローマ字による碑文は時代的には新しいことを意味する。1968年7月24日ホーチミン・ルートへの入り口にあたるハティン省ドンロクで防衛にあたっていた青年突撃隊の女性隊員10名が、米軍機の爆撃を受けて全員死亡するという事件が起きた。写真は隊長が死の数日前に母にあてて送った手紙を記念碑にしたものである。

ナム＝ベトナム]"となり、日本語と正反対になることがわかります。

　以上のように、日本語とは異なる構造と性質をもった言語ですが、似ているところもあります。第一には、日本語と同様に、ベトナム語には多くの漢語が含まれています。中には"phát biểu [ファッビエウ＝発表する]"、"quốc ca [クオッカー＝国歌]"のように日本語と発音が近似しているものもあり、私たちがベトナム語に親近感を覚える大きな要因になっています。日本語と違うのは、日本語でも中国語でも使われていないような古い漢語が日常的に使用されていたり、歴史的な用語が転用されて現在も使用されていたりすることです。前者の例として"bình minh [ビンミン＝平明（黎明）]"、"thực đơn [トゥックドン＝食単（メニュー）]"などがあげられます。後者の例としては、"Viện hàn lâm [ヴィエンハンラム＝翰林院（アカデミーの意）]"、"đô hộ [ドーホ＝都護（外部勢力が統治する意）]"などがあります。いずれにしても

ベトナムがかつて1000年にもわたり中国の一地方であったことや中国の影響力の大きさがこうした点に刻印されていると考えられます。

　第二には、日本人が相手に応じて、話し方を変えるのと同様な現象がベトナム語の会話においてもみられます。日本語の場合はそれが動詞や助詞に反映され、人称は意味をもちませんが、ベトナム語では相手に対してどのような呼称を用い、相手に対して自分をどのように称するかが重要なポイントとなります。一例をあげれば、私のような中年男性の場合、目上の男性に対しては年齢差に応じて"Bác [バック]"か"Chú [チュー]"で呼びかけるとともに、「孫」を意味する"Cháu [チャウ]"で自分を称します。子供に対しては"Cháu"で呼びかけ、自分を"Bac"で称することになります。

　このように、ベトナム語はローマ字で表記されるものの、勉強すればするほど親近感が湧いてくる興味深い言語です。　　　　（栗原浩英）

ベトナム語では略号もよく使われる。それが理解できるかで、その人のベトナム語能力が判定されるといってもよい。写真の"PGCM"は"Phân giới cẩm mốc"の略号で「国境標識設置」を意味する。ベトナム・中国間の国境標識設置作業に従事する車両を示すマークである。

"An toàn là Bạn."。直訳すると、「安全は味方」。工事現場に掲げられる日本語の「安全第一」に相当する標語である。本来はこれに、「事故は敵」を意味する"Tai nạn là thù."が続き、対をなすのだが、最近はご覧のようにこちらは姿を消している。時代の流れであろうか。

小学校の塀に「違法」に刻印された広告。"KH"は"khoan [穿孔]"、"C"は"cát [砂]"、"B TONG"は"Bê-tông [セメント]"をそれぞれ意味する。その下に記されているのは業者の携帯電話番号である。

ラテン文字
Wikang Latin
ウィカン　ラティン

フィリピノ語
Wikang Filipino
ウィカン　フィリピノ
オーストロネシア語族（西オーストロネシア語派）

　大小7100以上もの島々から成るフィリピンには、マライ・ポリネシア語族に属する110余りの言語があります。主要言語といわれるものはタガログ語、イロカノ語、セブアノ語、ヒリガイノン（別名イロンゴ語）、ビコール語、ワライ語、パンパンゴ語、パンガシナン語などですが、これらの言語の中でもっとも重要な位置を占めているのがタガログ語です。

　フィリピンは、16世紀中頃から19世紀末まではスペイン、20世紀に入ってからはアメリカによる統治を受けたため、長い間、公用語はスペイン語と英語でした。しかし1930年代になり、アメリカからの独立に向けた独立準備政府が発足、フ

ィリピン人主導による国民国家形成が始まると、1937年の大統領令により、タガログ語が国語の基盤と規定されました。

　タガログ語が選ばれたのは、当時から政治・経済の中心であったマニラで使われていたこと、文学をも含む文献が多かったためです。ただ「タガログ語を国語とする」と明確に規定されなかったのは、非タガログ圏からの反発が強かったためです。1940年には文部省令により、小学校、高校、大学で国語（タガログ語）を教えることが義務付けられました。その後、国語の名称は、2回変わることになります。1959年、文部省令によりタガログ語からピリピノ語に、続いて1987年、新

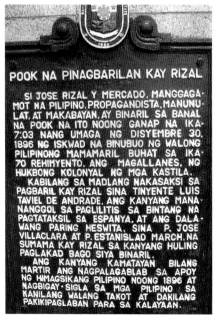

フィリピンの国民的英雄ホセ・リサールが処刑された場所に残る碑。

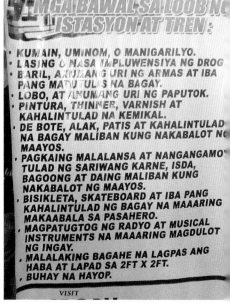

マニラの公共交通機関であるLRT（ライトレール）での注意事項。

憲法によりフィリピノ語に変更されました。

　1987年の新憲法は、「フィリピノ語はタガログ語を母体として、それに英語、スペイン語、および他のフィリピン諸語で頻繁に用いられている単語を取り入れた言語」と規定していますが、内実はタガログ語とほぼ同じです。ただ、アバカダと呼ばれるタガログ語のアルファベットが20文字（A, B, K, D, E, G, H, I, L, M, N, NG, O, P, R, S, T, U, W, Y）から成っているのに対し、フィリピノ語はC, F, J, Ñ, Q, V, X, Zを含む28文字と規定されました。ただし、これらの8文字は主に他言語からの借用語、あるいは固有名詞の綴りに用いられます。単語は、発音に準じて綴られているので、発音はほぼ日本語のローマ字を読む要領でよいのですが、留意する点は、NGが1つのアルファベット文字としてみなされ、鼻濁音であること、またアルファベット文字で表されない子音である声門閉鎖音（日本語の「ハイッ」と力をこめていうときの「ッ」の部分にあたる喉に詰まる音）があることです。声門閉鎖音は単語の中間では（ ˉ ）、語末では（ ˋ ）、語末でアクセントと重なるときは（ ˆ ）で表されます。

　現在フィリピンでは国民の90パーセント余りが国語であるフィリピノ語を理解しますが、タガログ語を母語とするマニラ首都圏や周辺の諸州、ミンドロ島など以外の地域では、日常生活のレベルでは、その地域で使われている言語が使用されています。一方、ビジネスや大学での教授言語としては主に英語が使われています。フィリピノ語とともに公用語である英語は、国内での働き口が限られているフィリピン人にとって、海外で働くための武器となっています。実際、英語を武器に、海外に働きに出ているフィリピン人は800万人（全人口の10パーセント近く）を超えています。これら海外で働くフィリピン人にとってフィリピノ語は、フィリピン人としてのアイデンティティを見失わないための大切な言語であるといえます。

　　　　　　　　　　　　　　　（並木香奈美）

国語月間のチラシ。

ゴミ捨て禁止の看板。

フィリピン国旗をモチーフにしたバナー（「私の愛するフィリピン」の文字）。

公園内犬禁止の警告板。

ラテン文字

サモア語	タヒチ語	ハワイ語
pī	pīˈāpā	pīˈāpā
ピー	ピーアーパー	ピーアーパー

ポリネシア諸語

サモア語	タヒチ語	ハワイ語
gagana Sāmoa	reo tahiti	ˈōlelo Hawaiˈi
ガガナ　サーモア	レオ　タヒチ	オーレロ　ハワイイ

オーストロネシア語族

　ポリネシア諸語は地理上のポリネシア（ハワイとニュージーランドとイースター島を結ぶ三角形の内側）と、その他ミクロネシア、メラネシアの一部で話されていることばから成るグループです。今回例として取り上げるサモア語はサモア独立国およびアメリカ領サモアで、タヒチ語はフランス領ポリネシアで、ハワイ語はアメリカ合衆国ハワイ州で、それぞれ話されている言語です。サモア語話者の多くは英語も話し、タヒチ語話者の多くはフランス語も話します。実際、タヒチでは多くの人が日常的にフランス語を使っています。ハワイでは一部の限られた地域を除き、日常的には英語を話す人がほとんどです。ハワイ語は英語の普及により話者人口が激減しましたが、現在では英語ではなくハワイ語で教育を行う学校も各地に作られ、ハワイ語の普及は進んできています。

　ポリネシア諸語は、イースター島にロンゴロンゴ文字という未解読の文字があるとされる以外は、もともと文字を持っていませんでした。18世紀以降、ヨーロッパ人たちが訪れるようになった後、ラテン文字を基にした文字が用いられるようになりました。

　ポリネシア諸語はお互いに音のシステムも似ているため、文字もだいたい似通っています。5つ

サモア語と英語で表記されているサモアの紙幣。上が SEFULU TĀLĀ「10タラ」、下が LUA TĀLĀ「2タラ」。いずれも FALETUPE TUTOTONU O SAMOA「サモア中央銀行」の表示がある。

土産用ステッカー（左がハワイ州章、右がハワイ大学章）。ハワイ州の標語 UA MAU KE EA O KA AINA I KA PONO「大地の命は正義によって永遠だ」は最もポピュラーなハワイ語センテンスの一つ。

の母音が a, e, i, o, u で表示され、ほぼ文字どおりの音を表します。また、日本語のローマ字表記と同じく、多くのポリネシア諸語では、母音の上に横棒を付して、ā, ē, ī, ō, ū（それぞれ、アー、エー、イー、オー、ウー）のように長母音を表します。各言語の個性が出るのは子音文字です。

ポリネシア諸語の子音は英語などに比べて種類が少ないので、各言語の必要に応じて、限られた数のラテン文字のみが用いられます。使われる子音字が違うため、見た目の印象も少しずつ異なります。使われる子音字はもっとも少ないハワイ語では、h, k, l, m, n, p, w の 7 つ、タヒチ語では、f, h, m, n, p, r, t, v の 8 つで、それぞれ、ほぼ文字通りの音を表します。もうちょっと数が多いサモア語では、f, g, l, m, n, p, s, t, v の 9 つを用います

町ではフランス語の看板が主流だが、しばしば目にするのがタヒチ語で、FARE RAAU と書かれた薬局の看板もタヒチ語。

バスの後ろにはいろいろなタヒチ語の公共広告が見られる。これは「飲んだら乗るな」の広告。

が、g はガ行の音ではなく、ンガ（英語の ng の音）を表します。

これらのラテン文字以外に、もう一つ、多くのポリネシア諸語で用いられる子音字があります。多くのポリネシア諸語には声門閉鎖音という子音があり、それは ʻ という記号で表されます。ただし、この声門閉鎖音を表す子音字と、前述の長母音を表す横棒は表記されない場合もあります。その場合には、文脈から、長母音か短母音か、母音の前に声門閉鎖音があるのかないのか、を判断する必要があります。また、タヒチなどでは、フランス語でも用いるアクセント記号を用いて、ʻa を à、ʻā を â のように表示するものもありますが、ʻa や ʻā のような表示の方がより標準的のようです。

ポリネシア諸語の言語は海を隔てて遠く離れているにもかかわらず、単語や文法がとてもよく似ています。単語には、それぞれの言語独自の単語もありますが、いくつかの言語で全く同じ形のもの、また、少しだけ違うものも多数あります。

	魚	家	人
ハワイ語	iʻa イア	hale ハレ	kanaka カナカ
タヒチ語	iʻa イア	fare ファレ	taʻata タアタ
サモア語	iʻa イア	fale ファレ	tagata タガタ

ポリネシア諸語の基本語順は特徴的です。日本語とも英語とも異なり、多くのポリネシア諸語では、文の述語となる動詞は文の先頭に来ます。たとえば、「鳥が飛んだ」という文は、日本語では「鳥が」（主語）「飛んだ」（述語）のようになりますが、述語を先にして、「飛んだ」－「鳥が」のような語順になります。

	飛んだ	鳥が
ハワイ語	Ua lele	ka manu
タヒチ語	ʻUa rere	te manu.
サモア語	ʻUa lele	le manu.

（塩谷　亨）

ラテン文字
Alfabeti ya Kilatini
アルファベティ　ヤ　キラティヌィ

スワヒリ語
Kiswahili
キスワヒリ
ニジェール・コンゴ語族（バントゥ諸語）

スワヒリ語は、おもに東アフリカで話される地域共通語です。アフリカ大陸全体では、アラビア語に次いで、多くの話者を抱えており、日常的にスワヒリ語を使っている人の数は5000万人以上といわれています。ただし、スワヒリ語を母語として使っている話者は（諸説ありますが）わずか80万人で、スワヒリ語は東アフリカの多様な言語を話す民族を繋ぐ「共通語」の役割を担っています。

スワヒリ語は中・南部アフリカに広がるバントゥ諸語のひとつに分類されます。「スワヒリ」という名称は、アラビア語の sawāhil「海岸（複数）」に由来しますが、これは東アフリカ海岸部のバントゥの人々が、アラブ商人との交易の中で、多くのアラビア語起源の語彙を取り入れつつスワヒリ語を発展させたことを反映しています。歴史の折々に関係のあった人々から語彙を借入しているため、アラビア語のほかにも、ペルシア語、インド諸語、ポルトガル語、ドイツ語、英語からの借用語が織り込まれています。

現在、スワヒリ語はタンザニア、ケニア、ウガンダの公用語、コンゴ民主共和国の国語のひとつに定められています。そこで教えられる「標準スワヒリ語」は、19世紀中頃に繁栄したザンジバル方言を基に作られました。これらの国のほかにも、コモロ諸島、ブルンジ、ルワンダ、ザンビア北部、マラウイ、モザンビーク、ソマリア南部などに話者がいます。さらに耳を澄ませば、東アフリカ出身の商人や労働者が多くいる南部アフリカの国々やアラビア半島のオマーンの街角でも、賑やかなスワヒリ語の会話が聞こえてきます。

Ila jenāb shēkh almoheb alajāl alakrām almukarām alakhshām
Gandna | sāhib alqadīm alakhi Mrisho bin Majagliwa, natāka
hāli | yakō yā sīkū nyingi, wakadhālika nautakapō hāli yangu
sī | jambo alhamdu lillahi Rabb ilgālamīna. Barua yakō tūkūfu
imāwāsīlia ahsante* sana, alakhi, nimeshūkuru sana kūpata
barua yakō.   Miyezi miwīli hii iliyo pīta sīkū|wa nīkipata
barua yakō, nafsi yangu ilīkitārādād | magna nilīdhāni panā
nēno fulāni līlīlōkūū|dhi, ndiyo sibabu yakūkōsa barua yakō.
Lākin niliyo|yadhanni sīyo, alakhi. Nakūpa khabari yakwamba
muwaka huu | nimepatā khasara kūbwa katika ngōmbe wētū walio|
zīzīni wamakūfa ghafla kwa mudda wa sīkū kumi | ngōmbe sīta.
Sasa wamebāqi ngōmbe wanē tū.   Hii | khabari   Nisalinie
wazee.   Nawe wanakusalim wazee.   Akhika Gidi Majagliwa.

The handwriting is a fair average, not strikingly good
or bad.   Vowels are lengthened more freely than in previous
examples.

* The last vowel is a mistake.

図① アラビア文字で書かれたスワヒリ語とその解説（タンガニイカ）。
出典、Allen, J.W.T.著 Arabic Script for Students of Swahili. Published for the editorial commitee Tanganyika notes and records. 1945.

図② タンザニア鉄道の列車客室案内。英語とスワヒリ語で書かれている。

スワヒリ語はラテン文字で記されます。現在の正書法には、母音が5つ、子音は組み合わせ文字（2文字で1つの音を表すもの）を含めて26あります。この正書法は、19世紀中頃から大量に記されたヨーロッパ人旅行者やキリスト教宣教師の表記が基になりました。当初は書き留めたヨーロッパ人それぞれの母語を反映して、英語風表記、フランス語風表記、ドイツ語風表記がありましたが、第一次世界大戦後に東アフリカが正式に英国領となると、英語風の標準正書法が整備され、1930年、現在の正書法が承認されました。

こうしたラテン文字による表記とは別に、スワヒリ語にはアラビア文字による表記の歴史があります。今日、アラビア文字は使われていませんが、この文字表記の歴史は古く、13世紀頃から使われていたといわれています。アラビア文字表記の最盛期は18世紀で、現存する最古の文献も18世紀のものです。それ以前の文献は、16世紀、ポルトガルの侵略により破壊されてしまいました。アラビア文字表記のスワヒリ語の文献には、聖典コーランのほか、商用文、私信、地誌、文学作品など、様々な分野のものがあります。

アラビア文字表記のスワヒリ語に特徴的なのは、アラビア語では必ずしも表記されない「母音符号」を使って、スワヒリ語の母音を表すことです。また、もともとアラビア語にない子音を表記するために、ペルシア語やインド系言語の表記に用いられるアラビア文字の変種も使われました。こうしたアラビア文字には、ڀ（p）、چ（ch）、ڠ（ng'）があります［図版①］。

言語としてのスワヒリ語には、動詞がとても長いという特徴があります。たとえば「私たちはお前を愛しているよ」という表現をスワヒリ語でいうと、Tunakupenda（トゥナクペンダ）とたった1語の動詞になってしまいます。これは、以下のように分解することができます。主語、時制、目的語の情報が1語の動詞に盛り込まれるため、長くなるのです。

Tu	-na	-ku	-penda
私たち	（現在）	あなたを	愛する

また、スワヒリ語の音は、日本語の響きにとてもよく似ています。スワヒリ語は日本語と同じく「子音＋母音」という音の並びが多いためでしょう。現在、東アフリカには、自動車や家電製品などの日本ブランドとともに、日本語の固有名詞が多く輸入されています。日本語の響きはどこか馴染みがあって、格好よいのでしょうか、トラックやバス、自転車を飾りつけるのに、日本の地名が描かれていることがあります［図版③］。　　（阿部優子）

図③ タンザニアのキゴマで見つけたデコバス、サイタマ号。デコバスは満艦飾のバス。

ラテン文字
Álífábę̀ę̀tì / (Ábídí)
アリファベーティ／（アビディ）

ヨルバ語
èdèe Yorùbá
エデー ヨルバ
ニジェール・コンゴ語族（ベヌエ・コンゴ語派）

　ヨルバ語はナイジェリアの南西部を中心に、2000万人の話し手をもつ言語です。ナイジェリアは1億4000万人の人口を抱え、500以上の言語を擁するアフリカ最大の多言語国家ですが、ヨルバ語はハウサ語、イボ語と並んでナイジェリア三大言語のひとつになっています。ナイジェリア以外にも、隣国のベナン、移民の多いイギリスにも話し手がいます。

　ヨルバ語の話されている地域は、その昔奴隷貿易の中心のひとつでした。新大陸には古いヨルバ語の話し手が奴隷として移住させられ、現在もキューバやブラジルのアフリカ系文化には、ヨルバ文化のエッセンスが受け継がれていると言われています。

　ヨルバ語はもともといくつもの方言に分かれて

ファグンワ（D.O. Fágúnwà）の小説『精霊の森の勇敢な狩人』（Ògbójú Ọdẹ Nínú Igbó Irúnmalẹ̀）の初版本（1950）と改訂版（1983）。改訂版から声調記号が完全に付されるようになった。

いて、それぞれが独自の名前を名乗っていました。「ヨルバ語」というひとつのまとまった言語として受け入れられるようになったのは、キリスト教宣教師が伝道に必要な住民のことばを整備し始めた19世紀の半ば頃と考えられています。当時南西ナイジェリアで栄えていたオヨ帝国の方言が「ヤリバ」「ヤルバ」などと呼ばており、それがヨルバの語源になったと考えられています。

　ヨルバ語の重要な特徴として声調があげられます。声調とは、母音などが固有の音の高さをもち、その違いによって単語の意味の区別や、文法上の変化などを行う現象です。ヨルバ語の母音と鼻音（日本語の「ん」にあたる）は、高・中・低のいずれかの音の高さを必ずもち、これを間違えると意味が通じなくなります。たとえばigbá「ヒョウタン」、igba「200」、ìgbá「ナス」、ìgbà「時間」のように、全く異なる単語が音の高さの違いだけで区別されています。

　ヨルバ語最初の辞書は1843年に出版されています。1852年に出た改訂版を見てみると、声調はすでに現代と同じアクセント記号（高が ´ 低が `）で表記されています。声調記号の取り扱いは煩雑で、この辞書ではかなり健闘していますが、宗教パンフレットや新聞などの初期の文字資料には、ごく一部を除いて声調は表記されていません。印刷物において声調の表記が一般的になるのは20世紀も後半になってからのことです。

　ヨルバ語の整備にあたった宣教師たちは、その多くが自らヨルバ人でした。彼らは当時有力であったオヨ方言を中心に、各地の方言の語彙や文法

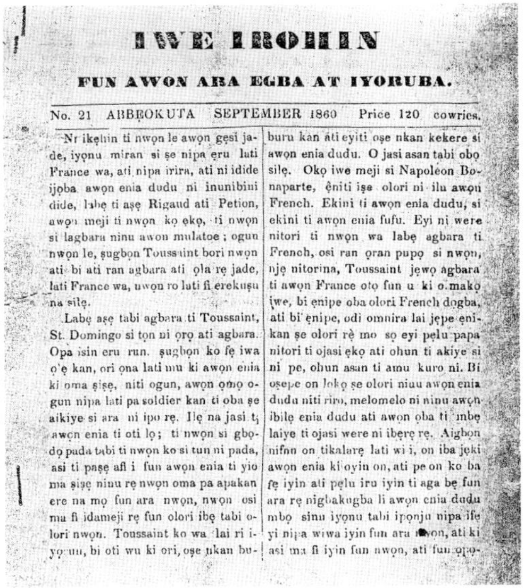

IWE IROHIN

FUN AWON ARA EGBA AT IYORUBA.

No. 21 ABBẸOKUTA SEPTEMBER 1860 Price 120 cowries.

Nr ikęhin ti nwǫn le awǫn gęsi ja-
de, iyǫnu miran si șe nipa ęru lati
France wa, ati nipa irira, ati ni idide
ijǫba awǫn enia dudu ni inunibini
dide, labę ti asę Rigaud ati Petion,
awǫn meji ti nwǫn kǫ ękǫ, ti nwǫn
si lagbara ninu awǫn mulatoe ; ogun
nwǫn le, șugbǫn Toussaint bori nwǫn
ati bi ati ran agbara ati ǫla rę jade,
lati France wa, awǫn ro lati fi erekușu
na silę.

Labę asę tabi agbara ti Toussaint,
St. Domingo si tǫn ni ǫrǫ ati agbara.
Opa isin eru run. șugbǫn ko fę iwa
ǫ'ę kan, ori ǫna lati mu ki awǫn enia
ki oma șișę, niti ogun, awǫn ǫmǫ o-
gun nipa lati pa soldier kan ti oba șe
aikiye si ara ni ipo rę. Ilę na jasi t¡
awǫn enia ti oti lǫ; ti nwǫn si gbǫ-
dǫ pada tabi ti nwǫn ko si tun ni pada,
asi ti pasę afi i fun awǫn enia ti yio
ma șișę ninu rę nwǫn oma pa apakan
ere na mǫ fun ara nwǫn, nwǫn osi
ma fi idameji rę fun olori ibę tabi o-
lori nwǫn. Toussaint ko wa lai ri i-
yǫnu, bi oti wu ki ori, oșe nkan bu-
buru kan ati eyiti oșe nkan kekere si
awǫn enia dudu. O jasi asan tabi obǫ
silę. Okǫ iwe meji si Napoleon Bo-
naparte, ęniti ișe olori ni ilu awǫn
French. Ekini ti awǫn enia dudu, si
ekini ti awǫn enia fufu. Eyi ni were
nitori ti nwǫn wa labę agbara ti
French, osi ran ǫran pupǫ si nwǫn,
nję nitorina, Toussaint jęwǫ agbara
ti awǫn France otǫ fun u ki o makǫ
iwe, bi ęnipe oba olori French dǫgba,
ati bi ęnipe, odi omnira lai jępe ęni-
kan șe olori rę mo sǫ eyi pęlu papa
nitori ti ojasi ękǫ ati ohun ti akiye si
ni pe, ohun asan ti amu kuro ni. Bi
oșepe on lokǫ șe olori ninu awǫn enia
dudu niti riro, melomelo ni ninu awǫn
ibilę enia dudu ati awǫn ǫba ti 'ınbę
laiye ti ojasi were ni ibęrę rę. Aigbǫn
nifnn on tikalarę lati wi i, on iba jęki
awǫn enia ki oyin on, ati pe on ko ba
fę iyin ati pęlu iru iyin ti aga bę fun
ara rę nigbakugba li awǫn enia dudu
mbǫ sinu iyǫnu tabi ipǫnju nipa ifę
yi nipa wiwa iyin fun ara [illegible]wǫn, ati ki
asi ma fi iyin fun awǫn, ati fun ǫpǫ-

1860年のヨルバ語新聞「IWE IROHIN」。サブタイトルにFUN AWON ARA EGBA AT IYORUBA「エグバとヨルバのために」とある。エグバは現在ではヨルバを構成するグループのひとつとされているが、当時はヨルバと同等のグループとみなされていたことがわかる。価格がcowries（タカラガイ）で表示されている点も興味深い。なお、1866年に貨幣単位はペニーに変更されている。

を盛り込んだ統一ヨルバ語を比較的短い期間で完成させています。彼らは実用本位の表記や文法をこころがけ、その結果シンプルでむだのない標準語とアルファベットが19世紀後半には成立していました。1860年代に出版されていた新聞を読んでみても、語彙などに古さは感じるものの、現代人でも読める文章がすでに完成していたことがわかります。

西洋の文化が流れてくるにつれ、新しい概念や物をヨルバ語で表現する必要が生じます。1970年頃までのヨルバ語は、新しい文物を解説するという方法で命名することを好み、借用に頼ることをよしとしませんでした。次のようなユニークな例があります。

ilé ìfowópamọ́sí「お金を貯めておく家」→銀行

ẹ̀rọ̀ aláwòrán「絵のある機械」→テレビ

asọ̀rọ̀mágbèsì

「話すばかりで返事をしないもの」→ラジオ

まるでなぞなぞのようです。残念ながら、このような単語の多くは現在では英語からの借用語に取って代わられてしまっています。

ヨルバの社会はもともと文字をもっていませんでした。王家の歴史など、伝承していかなければならない事は、歌や、トーキングドラムの演奏に置きかえて伝えられていました。トーキングドラムとは和楽器の鼓に似た砂時計形の太鼓で、打面の張り具合を紐で自由に調節し、音の高さを変えられる打楽器です。ヨルバ語の声調を太鼓の音で模倣することにより、ある程度の情報を伝えることができます。もちろん声調が同じで意味の異なる「同声調異義語」もたくさんあるわけですから、実際には言い換えなど、様々な翻訳のテクニックがあると言われています。

ナイジェリアには全国民をまとめるアフリカ起源の言語が存在しないため、今でも英語が公用語の地位にあります。教育も大部分が英語で行われており、一般にナイジェリア人は英語が達者です。そのような状況を、アフリカ諸語の危機であるととらえる人もいます。実際いくつかの言語は20世紀に消滅しています。ヨルバ語は2000万もの母語集団に支えられていますし、今後も話者人口を減らす可能性は少ないといえるでしょう。しかし現代のヨルバ社会、とくに都市部の口語ではヨルバ語と英語の混在が普通で、このような状態がヨルバ語を（あるいは英語を）今後どのように変えていくのか、興味の尽きないところです。（塩田勝彦）

トーキングドラムの構え方。

ラテン文字
Latin Harfleri
ラティン・ハルフレリ

トルコ語
Türkçe
テュルクチェ
アルタイ諸語（テュルク諸語）

トルコ語は、現在のトルコ共和国を中心に、ブルガリア、マケドニア、ギリシア、キプロスのほか、ドイツをはじめ西欧のトルコ人コミュニティで、合計7000万人ほどによって話されている言語です。テュルク諸語の中では一番話者が多く、トルコの隣のアゼルバイジャンやイランで話されているアゼリー語や、トゥルクメン語ともっとも近い関係にあります。

トルコ語は、かつて西アジア、北アフリカ、東欧にまたがって栄えたオスマン朝（1300頃～1922）の公用語として、アラビア文字で書き表されていました。しかし子音を表す文字だけからなるアラビア文字は、8つの母音をもつトルコ語を表記するには不便なことが多く、19世紀後半からアラビア文字の改良案が次々と出たものの、結局これら

は定着しませんでした。また当時トルコ語を母語とするキリスト教徒は、宗派ごとに、ギリシア文字やアルメニア文字を用いていました。

第一次世界大戦後にオスマン朝が倒れてトルコ共和国（1923～）が成立すると、同時期にソ連のテュルク諸語がラテン文字を採用した影響もあり、1928年トルコ語のラテン文字化が決定され、12月から出版での使用が義務づけられました（官公庁は翌1月から）。また周辺諸国でもトルコ語の表記にラテン文字を用いるようになりました。この後もトルコ言語協会が言語改革を進め、それまで語彙の大半を占めていたアラビア語、ペルシア語からの外来語が、トルコ語固有の要素から作られた新造語によって置き換えられました。

トルコ語の表記には、通常のラテン文字26文字

1928年に公布された「トルコ・アルファベット」。現在とは I と i の順番が逆になっている。ジェラル・ヌーリー『全く知らない人たちに：トルコ語の文字と音節』(1928)より。

ムスタファ・ケマル大統領自らトルコ各地でラテン文字の普及に努めた。

のうち q, w, x の3文字は用いられません。その代わりに ç, ğ, ı, ö, ş, ü の6文字が加えられています。ç はチャ行の子音、ş はシャ行の子音を表します。ö はエとオの中間、ü はイとウの中間の音です。ı は口を横に引いて発音するウで、大文字は I となります。これに対し日本語のイに相当する i の大文字は、上に点がつく İ という独特の文字となります。ğ は発音されませんが、直後に母音が続かない場合には、ğ の前にある母音を長く発音するようにします。c がヂャ行の子音を表すことには注意が必要ですが、基本的に書いてあるとおりに発音すると考えてよいでしょう。

トルコ語の8つの母音は、口の前の方で発音されるか、後ろの方で発音されるかで、e, i, ö, ü と a, ı, o, u の2つのグループに分かれ、外来語を除き単語を構成する母音は、それぞれどちらか一方のグループのみになる原則があります。これを母音調和と言います。この母音調和がテュルク諸語の特徴のひとつですが、さらに現代トルコ語は、唇を丸めないで発音するか、丸めて発音するかでも母音を分けるので、結局 e, i, ö, ü、a, ı, o, u

の4つのグループに分かれることになります。

トルコ語の語順は、日本語とほとんど同じで、動詞の前に目的語が置かれます。

Mehmet evde yoğurt yedi
メフメト　エヴデ　ヨウルト　イェディ
メフメトは家でヨーグルトを食べた

トルコ語は、数と人称の区別こそありますが、日本語と文法的に非常によく似ており、単語の後ろに、日本語の助詞や助動詞に相当する接尾辞や付属語をつけることによって、文法的なはたらきを表します。ただし接尾辞や付属語は、母音の異なる2つないし4つのヴァリエーションがあり、どの形がつくかは、上で述べた母音調和に従って、直前の母音によって決まります。たとえば前母音で構成されている単語 ev「家」にはやはり前母音の接尾辞がつき、ev-ler「家々」、ev-de「家で」、ev-in「家の」のようになりますが、後母音で構成されている単語 okul「学校」には後母音の接尾辞がつき、okul-lar「学校（複数）」、okul-da「学校で」、okul-un「学校の」のようになります。

（髙松洋一）

ギリシア文字のトルコ語『旧約・新約聖書』の扉（1905）。表題はトルコ語とギリシア語で、出版許可はアラビア文字で記されている。

アルメニア文字のトルコ語で書かれた教科書『問答式簡約地理』（1877）より。「42課：オスマン帝国」のページ。

英語の広がり

　学者によって差はありますが、言語の数は約4000から約5600になると言います。言語人口の一番多い言語はと聞いてみると、多くの人たちは「英語」と答えます。実は最大の言語人口は12億の中国語で、英語は7億といわれます。しかし、英語を母語として使う人と第二言語として使う人の数を合計すれば、英語がトップです。

　英語はイギリスに加えて、アメリカ、カナダ、オーストラリア、ニュージーランドで母語となりました。また、英語が第二言語となった地域もあります。たとえば、アイルランド、インド、香港、パプア・ニューギニア、アフリカの一部、西インド諸島等です。

　イギリス英語とアメリカ英語だけにしぼって簡単に特徴を述べます。

　まずイギリス英語は発音だけでも方言が非常に多く、パブリック・スクール、オクスフォード、ケンブリッジ、BBCの発音が「容認発音」と呼ばれ、それが標準となっています。しかし、これは必ずしも標準英語の話者の絶対数が多いというわけではありません。

　アメリカ英語は北部、中部、南部の3つに大別され、そのうち中部の中西部型のものが「一般アメリカ英語」と呼ばれ、今日、アメリカ人の過半数が使っているものです。

　英米の語彙差はかなりあります。下記はほんの一例ですが、英／米で示すとこのようになります。

ring / call, tin / can, petrol / gas, cooker / stove,
biscuit / cookie, jumper / sweater,
vest / undershirt, sitting room / living room,
dustbin / garbage can, autumn / fall,
off-license store / liquor store,
pram / baby buggy,
subway / pedestrian underpass

　アメリカ英語が「るつぼ英語」（るつぼ：melting pot）と言われるように、文化が融合・同化し出来上がっていると言えます。映画、TV、ジャーナリズムによる広がりや、物流、人的交流の活発化等によりアメリカニズムの影響はますます大きくなりつつあります。

（中郷安浩）

アイルランドの母語はアイルランド語だが、大多数の人のコミュニケイションの手段は英語。数少ないアイルランド語地域で、英語の道路標識が消されていることがよくある。

アラム文字の末裔たち

　古代世界で栄えたアラム文字とその数多い末裔たちの中で、現在有力な文字として残っているのは、アラビア文字やヘブライ文字などわずかです。しかし現在使われている文字を取り除くとその下にアラム文字の末裔がひょっこり顔を出す地域は少なくありません。新しい活力ある文化の伝播が盛んであった地域ではまるで地層のように文字が幾重にも重なっています。古い地層には古い文字が、新しい地層には新しい文字が眠っています。

　現在のモンゴル国の公用語モンゴル語は、かつてのソ連の影響下で採用されたロシア文字（キリル文字）が使われています。旧モンゴル人民共和国の初期にはラテン文字も使われた時期もありました。しかしそれ以前は、アラム文字の末裔の一つであるウイグル文字を改良したモンゴル文字（蒙古文字）が長く使われてきました。また元の世祖フビライの命により、インド系文字の流れをくむチベット文字をもとに、チベット僧パスパによって考案されたパスパ文字も加えると、モンゴル

語を表記した文字の地層はなかなか入り組んでいます。パスパ文字そのものは元朝とともに滅びた短命な徒花でした。

　現在アラビア文字（新ウイグル文字）を使用しているウイグル語は、その前はやはりアラム文字から派生したソグド文字の流れをくむウイグル文字が使われていました。このようにアラム文字の末裔の多くは現在地中深く埋没しています。7世紀後半より始まるアラブ・イスラーム民族の侵入直前に中央アジアを通過した唐の玄奘が残した『大唐西域記』を読むと、当時のこの地域におけるアラビア文字到来以前のソグド文字をはじめとするアラム文字系統の文字に比定できる文字の分布がうかがい知れます。

　イスラームの聖典コーラン、つまりアラビア語とアラビア文字というセットは、イスラームの影響を受けた広大な地域を覆い尽くすことになります。今日アラビア文字は、地域の言語を表わす文字としてペルシア文字、ウルドゥー文字など言語

の名を冠して呼ばれることがありますが、その基本的な枠組みは同じものです。

　アラビア文字の面白い特徴は、アラビア語以外の固有の言語音を表すために、ベースとなるアラビア文字本来の子音文字の上下に１個、２個、３個、ときには４個の点（ヌクター）を配置する工夫が、各地であたかも申し合わせたように共通していることです。もちろんアラビア文字世界共通の普遍的な規則があるわけではなく、そのため異なる場所で異なる言語のために工夫された点の配置が偶然同じであることがあっても、同じ音を表す保証はありません。この文字にはまるで字形創成のDNAが埋め込まれているような気すらしてきます。

　また文字のレパートリーが、文化の伝播につれて同心円状に膨れ上がるという特徴も見られます。たとえば本来のアラビア文字28字にペルシア語では4個の子音文字を追加し、さらにそれを受け入れたウルドゥー語では3個の文字を追加し、計35個に増えています。

　アラム文字の系統は基本的に子音のみを表し母音を表記しないのが特徴ですが、変り種として、本書では取り上げませんでしたが、ターナ文字があります。インド洋に浮かぶモルジブ共和国の公用語ディベヒ語（シンハラ語と近い関係）を表記するこの文字は、右から左に向かう書字方向はアラビア文字と同じですが、インド系文字のように子音文字の上下に一定の母音記号を配置します。アラビア文字とインド系文字の珍しいハイブリッドといえます。

「はじめに」にも触れたように、この章の最後にあるアムハラ語を表記するエチオピア文字（アムハラ文字）は、実はアラム文字の直系ではなく、古代セム系文字のもう一つの系統である古代南アラビア文字の流れに位置づけられます。広い意味でのセム系文字の一種であること、また次章のインド系文字とのあまりの類似性のためにここに配置しました。

（町田和彦）

ヘブライ文字

כתב עברי

クタヴ・イヴリー

ヘブライ語

עברית

イヴリート

アフロ・アジア語族（セム語派）

　書きことばとしてのヘブライ語は、3000年あまりの歴史を有しています。古典期にイスラエルの地において書かれたユダヤ教の成文律法としてのヘブライ語聖書、口伝律法を集成したミシュナ、以降世界各地に離散したユダヤ社会において書かれた様々な宗教文献、そして19世紀半ば以降には最初は東欧において、後にはイスラエルにおいて現代生活のあらゆる分野について書かれた文献等が含まれます。西暦200年頃に話しことばとしての機能を消失したヘブライ語は、19世紀末以降約1700年ぶりにイスラエルの地において再び用いられるようになり、現在では数百万人の話者を擁するまでになっています。

　ヘブライ文字と呼ばれるものは、もともとは同じく北西セム語派に属するアラム語に用いられていたアラム文字が、バビロン捕囚（前6世紀）以降ヘブライ語にも用いられるようになったものです。これ以前には、アラム文字と同じくフェニキア文字を起源とする古ヘブライ文字が用いられていました。

　ヘブライ文字は22文字からなり、右から左に横書きされます。このうち5文字には語末でのみ用いられる語末形が存在します。これら22文字が聖

書ヘブライ語では29子音を、現代ヘブライ語では23子音を表しています。

　ヘブライ文字は元々はすべて子音を表していましたが、一部の子音文字は母音を示す一種の手がかりとしても用いられるようになっていきました。しかしこれだけでは母音を正確に表記することが不可能なため、西暦6～10世紀には子音アルファベットの上中下に補助的に添加されることで母音を示す母音符号が考案されました。母音符号には3つの方式がありましたが、現在まで用いられているものはティベリア式です。ティベリア式母音符号はもともと7母音（および4超短母音）を区別していましたが、現代ヘブライ語では5母音しか存在しないため、子音文字同様、記号と音とが一対一に対応していません。

　母音符号を正しく打つにはヘブライ語の歴史文法の専門的知識が要求されるため、ヘブライ語の平均的使用者のほとんどは、母語話者であっても母音符号を正しく打つことができません。しかし読むさいには、十分な文法力・語彙力を備えていれば、母音符号なしのテキストでも母音を自分で補って読むことが容易に可能です。母音符号が打たれているテキストは、聖書、祈禱書、詩、辞書、

3書体によるヘブライ語子音アルファベット（上から順に活字体、ラシ体、筆記体）。

教科書、児童書等に限定されています。

　書体は印刷物に用いられる活字体、聖書やタルムードといったユダヤ教の聖典の注釈部分に用いられるラシ体、手書きのさいに用いられる筆記体の3つが一般的なものです。

　ヘブライ文字はヘブライ語だけでなく、イディッシュ語をはじめとしたユダヤ諸語にも伝統的に用いられてきました。ただし、ヘブライ語と子音体系が一致しないため、一部の子音文字には補助記号が添加されたり、複数の文字で単一の子音を表したりといった工夫がなされているだけでなく、非セム語であるユダヤ諸語においては、一部の子音文字が母音文字として転用されるようにもなっています。ただし、たとえばイディッシュ語では、こうした音声表記がなされるのは非ヘブライ語起源の単語のみで、ヘブライ語起源の単語はヘブライ語そのままの形で表記されています。

　ユダヤ暦による日付といったユダヤ教関連の伝統的な文脈では、ヘブライ文字は数字としても用いられます。ユダヤ神秘主義においては、ある単語を構成する個々の文字の数価を合計し、合計値が同じになる別の単語を見つけることで、元の単語の隠された意味を探ろうとすることも行われます。

（佐々木嗣也）

ユダヤ教の祈禱書。

エルサレムにある墓。ヘブライ文字で故人の名が書かれている。

タルムード（ユダヤ教の口伝律法書）。

<table>
<tr>
<td>

アラビア文字
الحروف العربية
アルフルーフ・（ア）ルアラビーヤトゥ

</td>
<td>

アラビア語
اللغة العربية
アッルガトゥ・（ア）ルアラビーヤトゥ
アフロ・アジア語族（セム語派）

</td>
</tr>
</table>

　アラビア語は、西はモロッコから東はイラクまでの中東・北アフリカ諸国で使われており、およそ１億5000万人の母語となっています。またイスラム教（イスラーム）の聖典『コーラン（クルアーン）』はアラビア語で書かれているため、南アジア・東南アジア・中国などのムスリム（イスラーム教徒）もアラビア語の知識をもっています。

　現代アラビア語は大別して、アラビア語でフスハーと呼ばれる文語アラビア語と、アーンミーヤと呼ばれる口語アラビア語に識別できます。前者は基本的に書きことばとして機能し、文語的なことばとしてテレビニュースなどでも使われます。またアラブ世界全体の共通語として機能するため、現代標準アラビア語（Modern Standard Arabic）とも呼ばれます。このフスハーは、語彙や文体の面で若干の違いはあるものの、古典アラビア語（Classical Arabic）を近代化することによって生まれました。一方、後者のアーンミーヤは基本的に話しことばで、正書法もなく、地域ごとの方言差がきわめて大きいものです。フスハーとアーンミーヤは発音・文法・

アラビア語碑文。クーファ書体の碑文（9〜10世紀前後？）、メッカ近郊の旧巡礼路。

西安清真寺。中国の西安市にある最古のモスクである清真寺の入り口にある表札。

キスワ。メッカにあるカアバ神殿の垂れ幕。（国立民族学博物館所蔵）

基礎語彙のすべての面でお互いに大きく異なっており、アラビア語の話者は両者を会話の場面や内容によって使いわけています。

　アラビア文字は、イスラム教の拡大とともに多くの言語を記すための文字として、ペルシア語やウルドゥー語などにも採用されました。偶像崇拝に通じるという懸念から絵画芸術があまり発達しなかったイスラーム世界にあって、コーランを美しく書くということを目的として始まった、アラビア書道（イスラム書道）は、現在も盛んです。『アラビアンナイト』中でも屈指の名作とされる「バグダードの荷担ぎ男と娘たちの物語」では、片方の目を失って遊行僧となった三人の王子が登場し、それぞれが数奇な身の上を語っています。二人めの王子はアラビア書道の腕にすぐれていました。彼はヒヒの姿に変えられましたが、とある船長にかわいがられて大きな港に入ったところ、「王さまのそばには、能筆で知られた宰相がおりましたが、先ごろ他界いたしました。王さまは宰相の手跡を慕うあまり、故人にまさるともおとらぬ能筆の士でなくば宰相には迎えまいとの誓いをたてられたのでございます」。ヒヒの姿となった王子は6つの書体を駆使して王をたたえる詩を書きました。これを見て驚嘆した王はすぐに王子を宮殿に迎えいれ、姫君の婿にしようとします。コーランを記す神の言語としてアラビア語が尊ばれたように、そのアラビア語を記すアラビア文字もまた神の文字として尊ばれたのです。

　ちなみに日本に残る最古のアラビア文字は鎌倉時代にもたらされており、ペルシア語の詩が書かれています。平戸藩主松浦静山が書かせた「マレー文字」（マレー語表記のためのアラビア文字）の記録

コーラン写本マグリブ書体：マグリブ書体の一種であるスーダン書体で書かれたコーラン。18〜19世紀。（国立民族学博物館所蔵・中西コレクション）

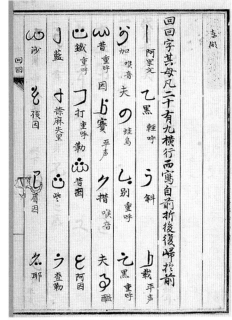

『萬国文字攷』。（国立民族学博物館所蔵）

もあります。また、江戸時代後期に編まれた『群書抄出　萬国文字攷（「攷」は「考」と同じ）』（国立民族学博物館所蔵）には、日本人の手書きによるアラビア文字が登場します。これを書いたのは、尊王攘夷論の理論的支柱とされる水戸藩の大学者藤田東湖でした。同書では、「回回字」という名称のもとにアラビア文字が紹介されています。

（西尾哲夫）

69

ペルシア文字
الفبای فارسی
アレフバーイェ　ファルスィー

ペルシア語
زبان فارسی
ザバーネ　ファールスィー
インド・ヨーロッパ語族（イラン語派）

ペルシア語はイランを中心に話されていることばです。

イランは、人口約7000万人を擁する中東の大国ですが、ペルシア語を本当に母語とする人々は分類法にもよりますが、50パーセント強に過ぎないとも言われています。しかし、それでも、公用語・共通語として、全国的に普及しています。

これに対して、隣国アフガニスタンにおいては、人口約3500万のうち、ダリー語と呼ばれるペルシア文字のペルシア語を母語とする人々は、タジク人（27パーセント）とハザーラ人（9パーセント）と合わせても半分に達していません。しかしそれでも、実際にはペルシア語の方が、多数派民族のことばであるパシュトゥー語に対して共通語としてよく用いられます。ほかに、人口700万人のタジキスタンの国語であるタジク語も、現在はキリル文字で書かれ、文法に若干の差異がありますが、ペルシア語の一部であるとみなすことができます。

このように、ペルシア語が様々な地域で、しか

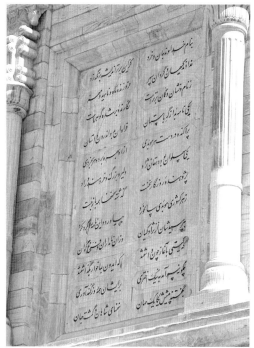

著名な古典詩人フェルドウスィーの『王書』。著者の墓廟の側面に刻まれている。

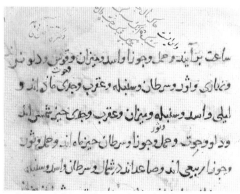

13世紀のものとされる写本。アラビア語の哲学書のペルシア語訳。

インドのハイダラバード、クトブ・シャー朝王族の墓の一つ。

も必ずしも母語でない人々にも用いられているのは、10世紀以来の、長い文章語としての伝統をもっているからです。とくに13世紀モンゴル帝国の共通語として用いられた後、18世紀に至るまで、イラン・アフガニスタンのほか、インド、中央アジア、トルコなどアジアの西半分で、ペルシア語の文献が読まれ、書かれました。ペルシア語の詩はこれらの地域の宮廷で愛好され、王たちは多くの詩人を抱えていました。これらの地域のことを、私は「ペルシア語文化圏」と呼んでいます。今日、ヒンディー語にもトルコ語にも多くのペルシア語の単語が入っているのは、このためなのです。

　現在のペルシア語は主にペルシア文字で書かれますが、これはアラビア文字を改良したものです。アラビア語にない پ(p)、چ(ch)、ژ(zh)、گ(g) を加えたのです。したがって、右から左に書きます。アラビア系の文字を使うようになったのは、7世紀以後、徐々にペルシア語を用いていた人たちがイスラームの信仰を受け入れたためです。単語の面でも、アラビア語起源の単語が大量に取り入れられています。ただし、文法はアラビア語とは全く異なり、ちょうど日本語に文法の全く異なる中国語起源の単語がたくさん含まれているのに、似ています。

　一方で、インド・ヨーロッパ語族なので、基本的な単語の中には、مادر（マーダル＝母）、برادر（バラーダル＝兄）など、英語と似ている単語もあります。しかし、語順は英語と異なり、前置詞等を除けば、日本語とほぼ同じ語順です。

او	اب	می خورد
ウー	アーブ	ミホラド
彼は	水を	飲みます

　疑問文でも語順は変化せず、イントネーションで区別します。文末のイントネーションを高くすれば、疑問文になります。「何を飲みますか」のような疑問詞のある疑問文では、疑問詞が最初にきて、そのイントネーションが上がります。

　ペルシア語の文法はきわめて簡単です。名詞には、男性／女性の区別がなく、また、主格、対格のような格変化もありません。ただし、動詞は、主語が一人称／二人称／三人称および単数／複数で変化します。一つの特徴は、エザーフェと呼ばれる連辞です。「私の兄の本」であれば、کتاب برادر من（ケターベ・バラーダレ・マン）となりますが、これは本（ケターブ）、兄（バラーダル）、私（マン）という単語を、後ろから単語が係っていることを示す「エ」という音の連辞二つで繋いだものです。

（近藤信彰）

テヘラン、大バーザール内のレストランの看板。

ドシャンベのおしゃれなカフェ。キリル文字で「カフヴァハーナ」と書いてある。

ウルドゥー文字

اردو رسم الخط

ウルドゥー　ラスムルハット

ウルドゥー語

اردو زبان

ウルドゥー　ザバーン
インド・ヨーロッパ語族（インド語派）

ウルドゥー語を母語とする人は、インド側には5000万人、パキスタン側には1000万人います。またパキスタンではウルドゥー語が国語として教えられているため、１億6000万の人口のうちのかなりの人がウルドゥー語を知っていると考えられます。ウルドゥー語という名称は、国家や民族の名前と関係がないという意味では珍しいかもし

れません。そこでまずこの名称の由来についてお話ししたいと思います。10世紀以降、ペルシア、アフガニスタン、中央アジアから来たイスラーム教徒がインド亜大陸に進出してきます。13世紀から北インドのデリーを中心としてイスラーム教徒の王朝が設立され、さらに16世紀からはムガル朝がおこります。

この間、イスラーム教徒が使っていた語彙が現地の言語と融合して成立したのがウルドゥー語です。この言語を指すことばはいろいろとあったのですが、ウルドゥー語という名称のもととなった名前はザバーネ・ウルドゥー・エ・ムアッラー・エ・シャージャハーナーバード（zabān-e urdū-e muallā-e

そり舌音を表す文字。

ドーチャシュミー・ヘー。

吐く息をともなわないb（左）と吐く息をともなうb（右）の表記。

ウルドゥー文字アルファベット。

šājahānābād）でした。ザバーン
は「言語」、ウルドゥーは「陣営」、
ムアッラーは「高貴な」、シャ
ージャハーナーバードはター
ジ・マハルを建造させたことで
有名なムガル朝第5代皇帝の名
前にアーバード「町」が付け加
えられて、「シャージャハーン
の町」という意味になり、今の
デリーを指しています。この名
称はすべてイザーファトと呼ば
れ、音としてはエ（e）という
英語の前置詞 of の機能をはた
すもので結ばれており、後ろか

ウルドゥー語の日刊紙「Jang」。

ら前の単語を修飾するので、全体として「シャー
ジャハーナーバード（デリー）の高貴な陣営の言葉」
という意味になります。これから前後が落ちてウ
ルドゥーという名称が残ったというわけです。

　ウルドゥー文字はアラビア文字の系統に属しま
す。アラビア文字が28文字、ペルシア文字が32
文字なのに対し、ウルドゥー文字は35文字ありま
す。ただし、数え方によっては36文字、あるいは
37文字あるともいえます。そのうちの3文字はペ
ルシア語になかったそり舌音（舌をそらせて発音す
る「タ」「ダ」「ラ」）を表記するために作られました。

　現在のように音楽記号のフラットに似た記号を
つけて表記する方法が定着したのは、19世紀後半
からでした。

　発音するときに吐く息をともなう音（有気音）
もペルシア語にはありませんでした。ですが、こ
の音を表記するために新しい文字を作ることはし
ませんでした。どのように対応したかといいます
と、吐く息をともなわない音（無気音）を表記す
る文字にドーチャシュミー・ヘー「2つ目のヘ
ー」と呼ばれる、h音を表すための文字を付け加
えて2つの文字で1つの音を表記するようにした

のです。

　ウルドゥー語でも他のアラビア系の文字を使用
する言語と同様に、書道が発達しました。そのた
め19世紀に活字が導入されてからも、カーティブ
と呼ばれる筆耕人が手書きで書いた原稿をオフセ
ット印刷するという伝統が、つい十数年前まで続
いてきました。私たち外国人にとっては活字の方
が読みやすいのですが、ウルドゥー語を幼い頃か
ら習ってきた人にとって、活字は読みにくく、美
的にも受け入れがたいようです。そのため現在パ
ソコンなどで使われているフォントも手書きの文
字に近いものが好まれています。　（萩田　博）

パキスタンのマクドナルド。

アラビア文字

(كونا يبزنق) ئەرەپ يېزىقى

エレプ・イェズィキ（コナ・イェズィク）

ウイグル語

ئۇيغۇرچە

ウイグルチェ

アルタイ諸語（テュルク諸語）

　ウイグル語（現代ウイグル語）は中国新疆ウイグル自治区を中心に話されていることばです。

　ウイグル語を話すウイグル人の人口は中国国内で960万人ほど（2006年統計）といわれ、これに加えて隣接するカザフスタン、キルギス、ウズベキスタンなど中央アジア諸国、さらにパキスタン、サウジアラビア、トルコなどに一定数のウイグル人が居住しているといわれています。新疆ウイグル自治区でウイグル語は漢語（中国語）に次ぐ地域公用語と公式に位置づけられており、公文書、地名表示、教育、マス・メディアなど多方面でその使用が法令で規定されています。しかし、近年は高等教育機関でウイグル語による授業が廃止されるなど、社会の様々な場面でウイグル語から漢

語への切り替えが進められており、ウイグル人の母語喪失を憂慮する声も聞かれるようになってきています。

　ウイグル人は敬虔なイスラーム教徒であり、現在、そのことばを表記する文字は聖典「コーラン」の文字でもあるアラビア文字を使用しています。しかしその綴り方はアラビア語やペルシア語など他のアラビア文字使用言語のそれに比べてかなり変則的で、母音を長・短母音の別なく表記したり、子音字の削除や統合を行うなどの大胆な改変が加えられています。

　ウイグル人が20世紀に経験した政治変動は、彼らのことばと文字に大きな影響を与えました。ながく彼らはペルシア語の文字セットを基礎とした

中国新疆ウイグル自治区ホタン地区チラ県のある市場の看板。設置当時（1966年）の人民公社の名称がラテン文字ウイグル語（新文字）と漢語の二言語併記で示されている。

中国新疆ウイグル自治区カシュガル市のメインストリートに市政府が設置したウイグル語と漢語二言語併記の看板。「（各民族の）団結こそが民を富ませ、分裂（＝中国からの分離独立への動き）は衰亡のもとになる」と書かれてある。

チャガタイ語（中央アジア・テュルク系諸民族共通の伝統的文章語）を使用していました。しかし、20世紀に入り彼らの話しことばに合わせ改変したウイグル語アラビア文字（旧文字）、主としてソ連の影響下使用されたキリル文字、そして中国語のピンインの影響が色濃いラテン文字（新文字）などが入れ替わり用いられることとなり、1980年代に再びウイグル語アラビア文字が（一部母音字の追加のうえ）復活することとなりました。このような使用文字の目まぐるしい変動は、親子が互いの書く手紙を読めないといったウイグル社会における世代間のリテラシーの断絶をもたらしています。

ウイグル語の挨拶のことばは ياخشىمۇسىز؟（ヤフシムスィズ？＜yakshi（良い）＋mu（ですか？）＋siz（あなた）＝あなたのご機嫌はいかがですか？）といい、この表現は多少発音に違いはありますが近隣のカザフ語やキルギス語、ウズベク語と共通の挨拶ことばです。もっともこの言い方はやや新しいもののようで、80年前にロンドンで出版されたウイグル語の会話帳ではイスラーム世界共通の挨拶であるアラビア語の السلام عليكوم ！（アッサラームアライクム＝あなたの下に平安あれかし）がエントリーされています。

ウイグル語の語順は日本語とほぼ同じです。修飾語は被修飾語の前に置かれ、名詞の格変化は主格（「○○は」や「△△が」にあたる）に何もつけない以外は日本語と同様に与格（〜へ；〜に）、属格（〜の）、対格（〜を）、奪格（〜から）にあたる格接尾辞を接続して意味を作るなど、その構文のかたちは日本語によく似ています。

دۇنيادا بىرلا خوتەن بار

دۇنيادا	بىرلا	خوتەن	بار
ドゥンヤ＋ダ	ビル＋ラ	ホタン	バー（ル）
世界＋で	ひとつ＋だけ	ホタンが	ある

世界でただひとつの（存在として）ホタンがある

動詞は語幹に過去（〜した）とか現在進行（〜している）といった時制や動作の状態を示す接辞を接続して意味を形づくります。また日本語の「〜してみる」、「〜しておく」のように、動詞の連用形にさらにそれを補う動詞を重ねる補助動詞のヴァリエーションが豊富な点も日本語によく似ています。

ئۇنىڭ ئىسمىنى ئۇنتۇپ قالدىم

ئۇنىڭ	ئىسمىنى	ئۇنتۇپ	قالدىم
ウ＋ヌン	イスム＋ィ＋ニ	ウント＋ウップ	カル＋ディ＋ム
彼＋の	名前＋彼の＋を	忘れ＋て	しまっ＋た（私は）

私は彼の名前を忘れてしまった。

日本語との目立った違いは名詞にしても動詞にしても、その持ち主や動作主を明示する人称接尾辞が接続されるということでしょう。こうした人称接尾辞をはじめとする各種の接辞ごとにいかにウイグル語の文を切り分けていくか（＝形態素分析）が、ウイグル語を正しく理解するポイントであり、それは日本語を話す我々にはそう難しいことではありません。

（菅原　純）

中国新疆ウイグル自治区ウルムチ市の電話会社に掲示された、携帯電話プリペイド・カードの宣伝ポスター。ウイグル人顧客への宣伝のためウイグル語で書かれてある。新疆ではウイグル語が表示できる携帯電話も開発されており、アラビア文字メールのやり取りも可能になっている。

エチオピア文字
ፊደል

フィデル

アムハラ語
አማርኛ

アマリンニャ

アフロ・アジア語族（セム語派）

　エチオピアと聞いてみなさんは何を思い浮かべるでしょうか。マラソンの強い国というのがもっとも強い印象だと思われますが、高原の国であること、コーヒーの原産地であることをご存じの方もいらっしゃるかもしれません。エチオピアでもっとも広く通用する言語がアムハラ語です。エチオピアは多民族国家で、アムハラ語はそれらの中のアムハラと呼ばれる民族の言語です。エチオピアの中部から北部にかけて居住していたこの民族が、19世紀後半から20世紀初頭にかけて周囲の諸民族を征服することにより、現在のエチオピアの領域が形成されました。そしてその後行政や教育においてアムハラ語が主に用いられたことにより、この言語がエチオピアにおいて広く用いられるようになったのです。

　アムハラ語はアラビア語と同じくセム系言語の1つです。語順は主語＋目的語＋動詞という形式が基本です。たとえば、ልጆቹ እንጀራ በሉ ። という文では、ልጆቹ（その子供たち）が主語、እንጀራ

（インジェラ）が目的語、በሉ（〈彼らは〉食べた）が動詞で、全体では「その子供たちはインジェラを食べた」という意味になります。インジェラとはエチオピアで人気のある酸味のあるクレープ状の食べものです。アムハラ語の動詞は主語の性（男性か女性か）、数（単数か複数か）、人称（話し手か聞き手か第三者か）によって様々に変化します。名詞には単数と複数の区別があり、また定冠詞があります。ልጅ（子供）という名詞の場合、複数形はልጆች（子供たち）となり、定冠詞がつくと ልጆቹ（その子供たち）となります。形容詞は名詞の前に置かれます。たとえば、エチオピアの首都の名であるアジス・アベバは አዲስ አበባ と書きますが、አዲስ が「新しい」を、አበባ が「花」を、全体では「新しい花」を意味します。

　さてアムハラ語の表記にはエチオピア文字が用

アジス・アベバ大学正門。左手にエチオピア文字で書かれた大学名が見える。

アムハラ語新聞。イタリアの大統領のエチオピア訪問を伝えている。

文例1 『新約聖書』「ヨハネによる福音書」の冒頭

ゲエズ語	ቀዳሚሁ ፡ ቃል ፡ ወእቱ ፡ ወውእቱ ፡ ቃል ፡ ኀበ ፡ እግዚአብሔር ፡ ወእቱ ፡ ወእግዚአብሔር ፡ ውእቱ ፡ ቃል ።
アムハラ語	ቃል በመጀመሪያ ነበረ ፤ ቃልም በእግዚአብሔር ዘንድ ነበረ ፤ ይህም ቃል እግዚአብሔር ነበረ ።

はじめにことばあり、ことばは神とともにあり、ことばは神なりき。

いられます。この文字の基となったのは、今から2000年以上前に南アラビアからエチオピアの北部に移住した人々がもたらした古代南アラビア文字でした。彼らが話していたセム系言語からはその後複数の言語が生まれました。紀元1世紀頃にエチオピアの北部に成立したアクスム王国ではそれらの中の1つであるゲエズ語が用いられており、王国の住人たちはこの言語を表すために古代南アラビア文字を改良してエチオピア文字を創り出しました。古代南アラビア文字が原則として子音のみを表し、右から左に書くのに対して、エチオピア文字は子音と母音の組み合わせからなる音節文字で、左から右に書きます。アクスム王国の衰退後エチオピアの北部ではゲエズ語に代わってアム

ある日の昼食。右側の皿にのっているのがインジェラ。

ハラ語が主要な話しことばとなりますが、書きことばとしてはその後も長らくゲエズ語が用いられました。アムハラ語が主要な書きことばとなったのは19世紀半ば以降のことです。

アムハラ語の文章を書くさい、ゲエズ語にない音を表すために文字が追加されました。その結果エチオピア文字の総数は250を超えることになりました。これらの文字は33の基本となる文字を変化させたものです。たとえば በ という文字は bä という音を表します。この文字の右側の中央部に張り出しをつけると ቡ (bu)、右の底部に張り出しをつけると ቢ (bi)、右側を長くすると ባ (ba)、右側底部に小さい円をつけると ቤ (be)、左側を長くすると ቦ (bo) となります。左側中央に張り出しをつけた በ は b という子音のみか bə という子音と母音の組み合わせを表します。ከ (kä) と ለ (lä) という2つの字は በ とほぼ同じ変化をします。左の写真をご覧ください。見覚えのあるデザインのビンに ኮካ ኮላ と書いてあります。これで koka kola、つまりコカ・コーラを意味します。

これらの文字とはかなり異なる変化をする文字もあって、すべて覚えるのはなかなか大変ですが、みなさんもエチオピア文字とアムハラ語を学んで数多くの民族が織り成すエチオピアの豊かな文化に触れてみませんか？　　　　（石川博樹）

最古の文字ヒエログリフ

エジプト発祥のヒエログリフ（聖刻文字）は、メソポタミア発祥の楔形文字と並んで世界最古の文字に位置付けられています。しかし、言葉を体系的に表記することのできる象形文字としては、エジプトのヒエログリフが世界最古にして世界最長の歴史を持ちます。もっとも古いヒエログリフの資料は、ファラオの出現より数百年も早い紀元前3500年頃と言われ、またもっとも新しい資料はエジプト文明が滅亡してローマ帝国の属州となった紀元後4世紀末のものとなります。

ヒエログリフが象形文字と呼ばれるのは、その文字の形が何らかの対象をかたどっているからです。エジプト人たちは建物、地形、天体、道具、人物、動物、植物など彼らが目にした森羅万象をくまなく文字にしました。それゆえヒエログリフの一覧を見ていると博物図鑑を眺めているような気持ちになります。文字の数は時代によって異なりますが、ピラミッドが建設されていた時代で750文字ほど、有名なロゼッタ・ストーンが作成された時代には、6000文字まで増えていたと言われています。

さて、この象形文字として作られたヒエログリフですが、文字の使い方においては表音文字の用法がもっとも多いということを読者の皆様方はご存じでしょうか。象形文字は文字の作り方に関する用語であり、これとは別に文字の使い方を指す用語には、表語文字、表音文字、限定符などがあります。確かにヒエログリフには表語文字の用法があり、たとえば「山」の象形文字を書いて「山」の意味になったり、また「月」の象形文字を書いて「月」の意味になったりします。

しかしながら、このような用法は全体の10パーセントにも満たず、用法の半分以上が表音文字なのです。アレクサンドロス大王やローマ皇帝カエサルなど、外国人の名前を記したヒエログリフの碑文が残されているのですが、そのようなことが可能だったのも、ヒエログリフが表音文字を兼ね備えた文字体系であったからだと言えます。漢字にも表音機能があるのですが、アレクサンドロスやカエサルを漢字で表記しなさいと言われたら、ちょっと悩んでしまうところです。　（永井正勝）

ラメセス3世の王子カーエムワセトの墓の壁画。文字の形状とそれが示す意味との間には関係がないことが多い。向かって左側の碑文には「ラー神の息子なるシュウ神によることば」と書かれているが、文字の形状と単語の意味が一致しているのはわずかに「ラー神」の語のみである。

アレクサンドロス大王の名前を記したヒエログリフ。すべて表音文字で書かれている。

月の象形文字

山の象形文字

ブラーフミー文字の子孫たち

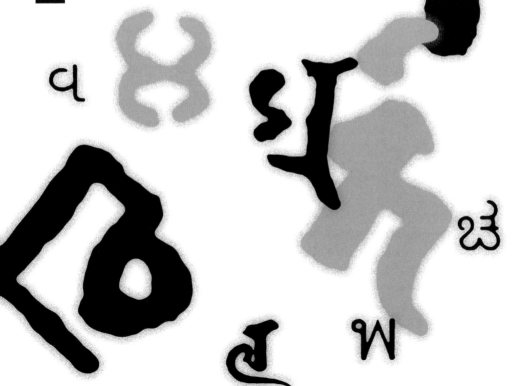

今日のすべてのインド系文字は、前3世紀の中頃アショーカ王碑文に刻まれたブラーフミー文字に遡ることができます。インド系文字を使用する言語は、南アジアから東南アジアにかけて分布しているため、言語系統の壁を越え実に多種多様です。21世紀の現在、インド系文字文化圏の人口は漢字文化圏にほぼ匹敵し、約14億人と推定されます。

　この系統の文字は、伝播の過程で多様な字形を生み出したことでも知られています。現在使用されている主なものだけでも、インド・ヨーロッパ語族インド派（デーヴァナーガリー文字、ベンガル文字、グジャラーティー文字、オリヤー文字、グルムキー文字、シンハラ文字）、ドラヴィダ諸語（タミル文字、テルグ文字、カンナダ文字、マラヤーラム文字）、シナ・チベット語族チベット・ビルマ語派（チベット文字、ビルマ文字）、オーストロアジア語族（クメール文字）、タイ・カダイ語族タイ諸語（タイ文字、ラオス文字）などがあります。

　インドから東南アジアへの伝播については、字形の類似から古代南インドの古グランタ文字（パッラヴァ・グランタ文字）との関係が指摘されています。しかしその伝播の時期や経路などに関して正確なことはわかっていません。ニワトリの品種「チャボ」に名が残るベトナムのチャンパ王国（中国名は林邑、環王、占城）遺跡群で発見されたチャム文字最古のサンスクリット語碑文は4世紀末とされます。東南アジアで発見されている初期の碑文は、サンスクリット語やパーリ語などインドの古典語が刻まれていましたが、次第に地域固有の言語の表記に使われていくことになります。

　インド系文字の字形変化は、伝播による地域差だけではなく、歴史的な時間の経過においても顕著にみられます。たとえばインド本国においてマウリア朝の滅亡後、クシャーナ朝、サータヴァーハナ朝、グプタ朝などの諸王朝の興亡を経て字形の変化は加速度を増します。とくにグプタ朝期の文字頭部に装飾性を帯びた後期ブラーフミー文字

（グプタ文字）はさらに変貌し、現在のデーヴァナーガリー文字の原形となるナーガリー文字へと変化します。グプタ文字からナーガリー文字への過渡期にあたるスィッダマートリカー文字（悉曇文字、ほぼ７世紀～９世紀）は、当時の仏教経典とともに中国、朝鮮、日本に伝来しました。三蔵法師として有名な唐の玄奘（602頃～664）が請来した仏典の多くは、この文字で書かれていたのではないかと思われます。中国から日本に悉曇文字を最初に体系的に持ち込んだのは、真言宗の開祖空海（774～835）です。空海以前にもたらされたと伝えられる貝葉写本『仏頂尊勝陀羅尼経』（東京国立博物館蔵法隆寺献納宝物、重要文化財）の末尾には、悉曇文字の配列表が付けられています。

　悉曇文字（梵字）は現在でも墓標、卒塔婆、五輪塔、護符などに用いられています。日本の仏教では空海以降江戸時代まで悉曇学（主に文字と音韻の研究が中心）の学統が続きました。各仮名文字を列（母音）と行（子音）の交差点に配置した「五十音図」の成立には、わが国の悉曇学の伝統と深い関わりがあります。

　この章の最後にハングルが配置されています。ハングルは李氏朝鮮第4代の世宗王により1443年に創製され、「訓民正音」（「民に正しい音を教える」の意）の名で1446年公布されました。朝鮮民族が誇るこの文字の成立の背後には、インド系文字であるチベット文字をもとに作られたパスパ文字の知識があったことが、現在ではほぼ確実視されているようです。

　なおインド系文字を利用した変り種文字として、イギリス人宣教師ジェイムズ・エヴァンズが1841年頃考案したカナダ先住民文字（Canadian aboriginal syllabics）があります。これはデーヴァナーガリー文字の子音字の部分字形を子音として使い、90度ずつ回転させることで４種類の母音との音節を表現します。　　　　　　　（町田和彦）

<table>
<tr><td>

デーヴァナーガリー文字
देवनागरी लिपि
デーヴナーグリー リピ

</td><td>

ヒンディー語
हिंदी भाषा
ヒンディー バーシャー
インド・ヨーロッパ語族（インド語派）

</td></tr>
</table>

　ヒンディー語は北インドを中心に話されていることばです。

　インドは約12億人の人口を擁する多言語国家ですが、その中でもヒンディー語は母語人口が飛びぬけて多く5億人近くいると推定されます。北インドを中心に共通語としての役割を担っていた歴史的な背景や、インド独立後のヒンディー語教育の全国的普及、大衆娯楽としてのヒンディー語映画の人気などもあってヒンディー語を理解する人はさらに増えつつあります。

　ヒンディー語を表記するデーヴァナーガリー文字は、同じ現代インド語派のマラーティー語やネパール語などに使われるほか、サンスクリットなどインドの古典語の印刷にも使われます。独立後

禁煙を示す表示。上から英語、ヒンディー語、マラーティー語。ヒンディー語とマラーティー語はデーヴァナーガリー文字で表記。ムンバイーで。

インドの現在の推定人口を示す電光表示板。2007年11月ニューデリーで。

道路名表示。通りの名前を上から、ヒンディー語、英語、パンジャービー語（左）、ウルドゥー語（右）で表記してある。ニューデリーで。

地球環境保護のためプラスティック製のゴミ袋使用を控えることを訴えるキャンペーン。ニューデリーで。

1950年1月に発効したインド憲法では、連邦レベルの公用語として「デーヴァナーガリー文字で表記されるヒンディー語」とわざわざこの文字で表記されることを規定しています。これは話し言葉ではあまり変わらないアラビア文字で書かれるウルドゥー語との差異を際立たせる意味もありました。1960年代には、系統の異なるドラヴィダ諸語なども含めた全インドの言語を表記することができる「公用文字」として拡張デーヴァナーガリー文字が提案されたこともありましたが、結局普及にはいたりませんでした。

　デーヴァナーガリー文字の上部には水平線があり、分かち書きする単位でこの水平線がつながります。このため単語ごとにまるで文字が棒からぶら下がっているように見えます。

　日本でもだいぶ知られるようになった挨拶のことば **नमस्कार**（ナマスカール）や **नमस्ते**（ナマステー）は、ヒンディー語というより厳密にはヒンディー語を話すヒンドゥー教徒のことばです。確かにインドの人口の約8割はヒンドゥー教徒でありヒンディー語を話す人もヒンドゥー教徒が大多数です。しかし挨拶のことばは言語固有のものでは必ずしもなく、話し手の属する宗教と密接に関係していることが多いので、宗教に寛容な（無関心な？）日本人はとくに注意が必要です。

　語順は、日本語とほとんど同じです。たとえば「彼はマンゴーを食べます」という表現では以下のようになり、文脈上必要なければ主語や目的語が自由に省略できます。

वह	आम	खाता है
ヴォ	アーム	カーター ヘェー
彼は	マンゴーを	食べます

　疑問文でも語順は変化しません。「食べます」も「食べますか？」もイントネーションで区別するだけです。平叙文「食べます」はほとんど単調に、疑問文「食べますか」は文末が上がります。

バンガロールの新国際空港の案内板。上から英語、ヒンディー語、カンナダ語で表示。

「何を食べますか」のように疑問詞がある疑問文では、疑問詞「何を」の部分が上がります。

　ヒンディー語の動詞句「食べます」の部分は、「彼」（3人称・単数・男性）や「彼女たち」（3人称・複数・女性）のように主語「誰が（食べるか）」に合わせて変化します。厄介なのは「食べました」という過去の表現です。「来る」や「着く」など自動詞は問題ないのですが、「食べる」や「見る」などの他動詞は目的語（実際には省略されていても）に合わせて語形が変化します。そのため他動詞「食べる」の過去「食べた」は、「彼」が食べようと「彼女たち」が食べようと同じ形になります。その場合の他動詞の語形は、「マンゴー」など目的語の文法性（男性／女性）と数（単数／複数）に従って変化します。下はマンゴー（男性名詞）が単数の場合です。本当の主語である「食べる人」は能格と呼ばれる特別な形をとります。

उसने	आम	खाया
ウスネー	アーム	カーヤー
彼は	マンゴーを	食べた

（町田和彦）

デーヴァナーガリー文字
देवनागरी लिपि
デバナガリ　リピ

ネパール語
नेपाली भाषा
ネパリ　バーサ
インド・ヨーロッパ語族（インド語派）

　ネパール語は、主にネパールで話されている言語で、ネパールの公用語です。日本より狭い国土に60とも70ともいわれる数の民族が存在しています。2009年現在ネパールの総人口は約2850万人と推定されています。このうちネパール語を母語としている人口は5〜6割ほどですが、総話者は8割ほどと見られています。ネパール国外では、インドの西ベンガル州ダージリン地方やシッキム州、ブータン南部など、ネパール系住民の多い地域でも日常的にネパール語が使用されています。

その中でもインドのシッキム州では、1992年から州の公用語と定められています。

　1769年に西部のゴルカ地方から出たプリティビナラヤン・シャハ王がネパールを統一して以降、この言語が国の中心の言語となり、後にネパール語と呼ばれるようになりました。それまではカス語、ゴルカ語などと呼ばれていました。2006年に王制が廃止され、その後発布された暫定憲法では、ネパールで話されるすべての民族の言語が国語であると規定される一方、デバナガリ文字によるネパール語が公用語であるとしています。これによりネパール語は唯一の国語というわけではな

ネパールのカレンダー。ネパール公式の暦であるビクラム暦がメインで、西暦の日付が併記されている。

文字表。

オートバイのナンバープレート。

くなりましたが、現実的にはほとんどすべての学校教育はネパール語で行われており、各民族間をつなぐ共通語としての役割を担っています。

ネパール語はインド・ヨーロッパ語族に属し、碑文等の研究から起源11世紀頃にはネパール語の原型が成立していたと考えられています。文字は、現在ヒンディー語やサンスクリット語でも使われているデバナガリ文字が、ネパール語でも使われています。ただし、一部ネパール独自の文字を使用するものもあります。また同じ文字でも、発音や読み方が違っているものもあります。一例をあげると、サンスクリット語では長母音・短母音の明確な区別がありますが、現代ネパール語には韻文を除いて長音・短音の区別がなかったり、前歯で下唇を噛むいわゆるv音もなく、wとbが交錯したりします。ですからサンスクリット語などでは、देवनागरी と書いて「デーヴァナーガリー」とカナ表記される文字も、ネパール語の発音では

街のベーカリーショップ。

時計屋の店頭。「時計修理します」と書かれている。

「デバナガリ」のようになるのです。また数字に関しては、独特ないわゆるインド数字が今も使われています。

०	१	२	३	४	५	६	७	८	९
0	1	2	3	4	5	6	7	8	9

語順や修飾語・非修飾語の順序は、例外もありますが、基本的には日本語とよく似ています。

रामले	तारोलाई	नेपाली भाषा	सिकायो।
ラムレ	タローライ	ネパリ バーサ	シカヨ
ラムは	太郎に	ネパール語	教えた。

上の文章のラムレのレや、タローライのライは後置詞で、日本語の助詞と似た働きをしています。このため語順を入れ替えることも可能になります。また平叙文の文末を上げ調子に言うと、そのまま疑問文になります。疑問詞がある場合は文末を上げ調子にする必要はありません。

自分との上下関係によって2人称、3人称には異なった代名詞があります。また目上の人に対する尊称もあります。動詞はこの尊敬の程度、単数・複数、性別によっても変化します（代名詞自体には性による区別はありません）。ただし、様々な民族や階級の人々が話していることもあり、口語では複数や性別の変化などが必ずしも厳密に守られているわけではありません。

		単数	複数
1人称		म	हामी（हामीहरू）
2人称（敬意無）		तैँ	
2人称（敬意有）		तिमी	तिमीहरू
3人称（敬意無）		ऊ	
3人称（敬意有）		उनी	उनीहरू
尊称	2人称	तपाई	तपाईहरू
	3人称	उहाँ	उहाँहरू

（野津治仁）

グルムキー文字
ਗੁਰਮੁਖੀ ਲਿਪੀ
グルムキー リピー

パンジャービー語
ਪੰਜਾਬੀ ਭਾਸ਼ਾ
パンジャービー パーシャー
インド・ヨーロッパ語族（インド語派）

　パンジャービー語は、インドとパキスタンにまたがるパンジャーブ地方で話されていることばです。パンジャーブ地方は、インド亜大陸北西部のインダス水系中流域に位置しますが、現在の行政区分上のパンジャーブ州の範囲とは必ずしも一致しません。パンジャーブ地方以外でも、パンジャーブ出身者が広く両国内外に形成しているコミュニティーにおいても母語として話されています。

　パンジャービー語の表記には、パキスタン国内ではアラビア系文字のシャームキー文字、インド国内ではインド系文字のグルムキー文字が用いられます。

　インドのパンジャーブ州アムリトサル県南東部のビアース川に近いカドゥールは、スィック教第2代グル・アンガド（1504〜1552）が移り住み、活動の拠点とした村です。村に建立されたグルドゥ

今日の聖句。アムリトサルのスィック教の総本山スリー・ハリマンダル・サーヒブ境内のアカール・タカト（時を超越した神の御座）前に日替わりで掲げられる聖典『アーディ・グラント』からの今日の聖句。

字母表の砂場。グルドゥワーラーに設置された学習用の字母表。手前に砂が敷かれ、指でなぞって練習する。35種の基本形から成るグルムキー文字の字母表は、パェーンティーと呼ばれる。パェーンティーは35を表すパンジャービー語の基数詞。

パティアーラーの州立中央図書館正面に立つ大きな表示板。開館時間・休館日などが表示されている。

ワーラー（スィック教徒の礼拝堂）の堂内にはグルムキー文字の字母表が掲げられ、表の下には「このグルムキー文字は衆生の救済のためにグル・アンガドが創った」と書かれています。グル・アンガドは歴代のグル（教主）の中でもとりわけ子供の教育に情熱を注いだことで知られ、教育手段としての文字体系の改良と整備、さらにその普及に大きな業績を残しました。グル・アンガドは、独自の文字体系のすべてを創ったわけではありません。個々の字形は、スィック教の開祖グル・ナーナク（1469～1539）以前の時代から存在していたものを多く採用しています。スィック教は、シク教とも呼ばれるインドの有力な宗教の一つです。

　グルムキー文字が広まったのは16世紀前半で、多くのインド系文字の中でももっとも新しい文字体系です。グルムクは「教主（グル）の口（ムク）から発せられた教えに従う敬虔なスィック教徒」を意味します。グルムクが用いた文字体系の名称がグルムキーです。グルムキー文字が広まる以前、インド北西部ではカースト集団を中心とする各コミュニティーが、それぞれに独自の情報の伝達や記録の手段として、固有の文字を用いていました。ヒマラヤ山麓ではターカリー文字、また平野部ではランダー文字と総称されます。しかしこれらの文字は形があまりにも多様で読みにくく、母音表記法も不完全でした。グル・アンガドはターカリー文字・ランダー文字に含まれる種々の字体を取捨選択し、字母表に配置し、さらに母音表記法も整備しました。グル・アンガドが基礎を固め普及させたグルムキー文字は、現在のインドのパンジャーブ州内とその周辺で用いられ、州の公用語であるパンジャービー語の表記文字となっています。

　パンジャービー語の名詞には性・数があり、ā「アー」語尾の形容詞・後置詞 ਦਾ dā・代名詞の属格・動詞の分詞や未来形などの語尾は、名詞の性・数に応じて ā「アー」（男性・単数）、e「エー」（男性・複数）、ī「イー」（女性・単数）、iā「イーアーン」（女性・複数）と変化します。これら4種類の語尾のうちの一つについて、性・数に応じた同じ語尾の語が一文中で韻を踏むように連なるのが、パンジャービー語の特徴です。たとえば「美しい少女たちが踊るでしょう」という表現では、以下のように iā「イーアーン」の語尾が連なります。パンジャービー語の語順は、日本語とほとんど同じです。

形容詞 （女性・複数）	名詞 （女性・複数）	動詞未来形 （3人称・女性・複数）
ਸੋਹਣੀਆਂ	ਕੁੜੀਆਂ	ਨੱਚਣਗੀਆਂ
sóṇīā	kuṛīā	naccangīā
ソーニーアーン	クリーアーン	ナッチャンギーアーン
美しい	少女たちが	踊るでしょう

（岡口典雄）

アムリトサルにあるスィック教の総本山スリー・ハリマンダル・サーヒブ門前の古い街並み。

ベンガル文字
বাংলা অক্ষর
バングラ　オッコル

ベンガル語
বাংলা ভাষা
バングラ　バシャ
インド・ヨーロッパ語族（インド語派）

　ベンガル語はインド亜大陸の東側、ベンガル湾をのぞむ地域で使われていることばで、現在ではこの地域は東側のバングラデシュと西側のインド、西ベンガル州に二分されています。いずれの地域でもベンガル語が第一言語であることは同じですが、バングラデシュでは国語であるのに対して、インドの一部である西ベンガル州では、州の公用語という位置づけになります。話者人口は東西あわせて現在２億2000万人ほどですが、この地域の人口増にともない、年々増え続けています。

　ベンガル文字は、ヒンディー語などと同じくブラーフミー文字の一種、グプタ文字から分かれたもので、母音字、子音字、母音記号を組み合わせて音を表す様式は、同根のほかの文字と同じです。一見すると文字上部にある水平線が目に付き、その点ではヒンディー語を表すナーガリー文字と似ているように見えますが、ナーガリー文字とは異なり、ベンガル文字ではこの水平線を単語ごとに一直線に引くのではなく、各文字に組み込んだかたちで書くようになっています。そのため、手書きになると人によって字の形態が異なってしまい、はじめのうちは手書きの文字を読むのに苦労することもあります。

　ベンガル語の語順は、原則として日本語とほぼ同じです。ただし複文になると、関係詞などを用いることで、英語の語順を想起させる場合もあります。文法的には単数、複数の違いやジェンダーによる違いがありませんので、日本語話者にとって構造的にむずかしいということはありません。ベンガル語を学ぶさいに基本となるのは、動詞の

変化形で、動詞のタイプによって変化の形態が若干異なることに注意しなければなりません。動詞はまず、人称にあわせて変化し、また時制によっても変化します。人称は通常の一、二、三人称のほかに丁寧な人称などをあわせて５種類あり、時制は８種類ありますから、合計で40の活用形をタ

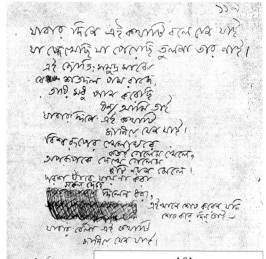

タゴールの手書きによる詩の草稿。

上記と同一の詩を活字にしたもの。
Rabindra Rachnabali（タゴール全集）第11巻より
Bishba Bharati, Kolkata, 1978

> ১৪২
> যাবার দিনে এই কথাটি
> 　　বলে যেন যাই—
> যা দেখেছি যা পেয়েছি
> 　তুলনা তার নাই।
> এই জ্যোতিঃসমুদ্র-মাঝে
> যে শতদল পদ্ম রাজে
> তারি মধু পান করেছি
> 　ধন্য আমি তাই—
> যাবার দিনে এই কথাটি
> 　জানিয়ে যেন যাই।

中世のベンガル語写本。ベンガル文字のかたちは中世の間、ゆるやかに変化した。
Bangla Punthir Katha, Achintya Biswas, Ratnabali, Kolkata, 2003より。

ダカで毎年行われるブック・フェアの電光掲示板。

イプ別に覚えていくことになります。またこのほかに命令形もあります。

　ベンガル人と会話をしようとするときにやっかいなのは、相手をなんと呼ぶかという問題です。どの二人称を用いるかということもありますし、多くのベンガル人が正式名のほかにডাকনাম［ダークネーム］という呼び名を持っていることに、はじめは戸惑うかもしれません。また「〜さん」に相当する単語も、相手が男性か女性かなどによって異なりますし、英国式の「サー」や「マダム」

ベンガル最古の印刷本といわれる A Grammer of the Bengal Language（1778）より。「行く」という動詞の活用を説明している。
Ananda Publishers Private Limited の復刻本より。

のような呼び方も混在していて、それらを場面に応じて使い分けることになります。

　はじめに述べたように、ベンガル語は二国にまたがって用いられていますので、東西で若干の違いも見られます。もっとも一般的な挨拶のことばも、ヒンドゥー教徒が多い西ベンガルではনমস্কার［ノモシュカル］、イスラーム教徒が多いバングラデシュではআস্সালামু আলাইকুম［アッサラーム・アライクム］となります。宗教的な違いのみならず、もともとの地域的な違いもあいまって、水（西ベンガルではজল［ジョル］、バングラデシュではপানি［パニ］）、塩（西ベンガルではনুন［ヌン］、バングラデシュではলবণ［ロボン］）、といった基本語彙や、親族名称の違いもあります。また綴りにも若干の違いが見られ、バングラデシュのほうが、より発音に近づけた綴りを採用する傾向があります。とはいえ、両ベンガル人の交流は活発で、相互に意思疎通する上で問題はほとんどありませんし、出版物もお互いのものを楽しんでいます。どちらかの綴り、または語彙を用いたことによって誤解が生じたり、通じなかったりすることはまずありません。

（丹羽京子）

シンハラ文字
සිංහර අකුරු
シンハラ　アクル

シンハラ語
සිංහල භාෂාව
シンハラ　バーシャーワ

インド・ヨーロッパ語族（インド語派）

　シンハラ語は島の北部、東海岸部の農漁村、中南部のプランテーション地域などにおける使用言語・タミル語とともにスリランカ民主社会主義共和国の公用語です。一方、公官庁や都市部を中心に英語が連結語として幅広く用いられ、外国人観光客もことばの上で不自由さを感じない、面積65万平方キロ（北海道の約8割）を有する自然豊かな島国です。現在、推定総人口は約2050万人に達し、シンハラ人、タミル人、マラッカラム（ムーア）人、マレー人、おもにオランダ系の末裔バーガー人などが共存する多民族国家です。2009年5月、四半世紀に及んだ政府軍とタミル・イーラム解放のトラ（L.T.T.E.）との内戦がようやく終結し、このインド洋上に浮かぶ国に明るい未来が訪れようとしています。

　シンハラ文字は紀元前3世紀の中頃インドで突如登場したブラーフミー文字から派生し、13世紀にかけ、丸みを帯びた特有の字形に変容したことはほぼ間違いありません。シンハラ文字はインド系文字の特徴である「子音と母音」が組み合わさる音節文字です。これ以外に母体字となる子音字の上下左右に特定の母音または子音記号をつける点もインド系文字に酷似しています。大文字小文字の区別はなく、近年いろいろなフォントが開発され、これまでの字形に変化が生じつつあることも見落とすことができません。

　語順は日本語とほぼ同じで学びやすい言語です。ただ、口語体と文章体では語彙や文法にかなりの違いがあります。たとえば、報道番組（ニュース）、新聞、雑誌、演説、ミーティングそして私的な手紙文に至るまで、「話しことば」と「書きことば」が交互に使用されるので、両者の文法基本事項を心得ておくことが肝要です。

　名詞には男性、女性、中性、通性があり、人称代名詞や指示詞、後置詞などにもそれぞれ格変化があります。格を制することがシンハラ語の奥義を極めることに繋がります。

　そこで人称代名詞一人称 "私"（☺☺ mama）の

Kandy New 製のキーボード。

格変化を参考にしてみましょう。

	単数（私）	複数（私たち）
1. 主格（直格）　—は　—が	මම (mama)	අපි (api)
2. 所有格（属格）　—の	මගේ (magē)	අපේ (apē)
3. 与格　—に	මට (maṭa)	අපිට (apiṭa)
4. 対格　—を	මාව (māva)	අපිව (apiva)
5. 奪格（具格）　—から　—に	මගෙන් (magen)	අපෙන් (apen)

　動詞の変化は日本語に酷似しています。口語体の時制は現在形（未来形を兼ねる）と過去形、完了形に大別できます。しかし、文章体には未来形が存在します。そして、主語の人称や、単数か複数か、男性か女性かによって動詞の語形が多様に変化するのが特徴です。

　つぎに動詞 කරනවා "……する" の活用変化を参考にしてみましょう。

　—する・—するだろう・—するかもしれない・—しますか・—するならば・—することができる・—したい・—しない・—する必要がある・—するな・—してもかまわない・—するとき・—するまで・—しましょうか　など、現在時制の多様な表現ですが、同時にこの過去形も完了形も一部存在するわけです。これらをシンハラ語に対応させるとぴったり当てはまる動詞の表現がこの一語をみても70以上存在します。シンハラ語を聞いたり読むたびにあまりにも日本語の活用とそっくりなので、きっと学習者はびっくりされることでしょう。

　新たな発見を目指して、さあシンハラ語の扉を開いてみてはいかがでしょうか。　　　（野口忠司）

W.O.T.フェルナンドのシンハラ文字の練習帳。

絵本『だれが　いちばん　としうえか？——スリランカの仏教説話を元に』。サマン・サハ・マダーラ出版刊。

タミル文字
தமிழ் எழுத்து
タミル　イェルットゥ

タミル語
தமிழ்
タミル
ドラヴィダ諸語

　タミル語は、ドラヴィダ諸語という言語グループに属し、インドで第5番目の話者人口をもつ大言語です。南インド・タミルナードゥ州を中心にインド国内に約6080万人（2001年センサス）の話者を有するだけでなく、外国に進出したタミル系の人々の間でタミル語が用いられています。スリランカ、シンガポール、マレーシアなどの南アジア・東南アジア諸国に加え、今や欧米にも多くのタミル人が住むようになり、タミル語を使った暮らしが営まれています。

　タミル語はタミル文字で表記されます。基本的には、母音を表す12文字、子音を表す18文字の計30文字から成ります。サンスクリット語からの借用語を表記するさいなどに「グランタ」と呼ばれる5個の特殊な文字が用いられることもあります。

　タミル語の発音でむずかしいのは、「r」や「l」にあたる音が、5種類もあることです。英語の「r」と「l」の聴き分けにも苦労するわれわれ日本人にとって、これら5つを区別するのは至難の業です。反り舌音が多いのも頭痛の種です。ただし語順は日本語とそっくりで、日本人にとって親しみ

タミル文字があしらわれたコップ。

シンガポールの地下鉄の非常口の表示板。上から、英語・中国語・ムラユ語・タミル語。

タミルナードゥ州チェンナイ市の郵便局の看板。

タミルナードゥ州立映画テレビ専門学校内のセット（駅名の表示）。上段がタミル語、下段はマラヤーラム語。

やすい側面ももっています。日本語とタミル語とが同系関係にあると唱える学者もいますが、決定的な証拠は掲げられていません。

　タミル語では口語と文語の差異がはなはだしく、学習者にとっては困りものです。本を頼りにタミル文法をマスターしても、ただちに日常会話に応用することはできません。会話の中では一定の決まりに従って音が変化しますし、口語でしか用いられない語彙もあります。地域や社会階層の違いによるダイアレクトも存在します。

　タミル語は長い歴史に彩られたことばです。紀元前後に艶やかな恋愛の詩文学と勇壮な戦争の詩文学を花咲かせました。「サンガム文学」と呼ばれます。その後2000年間にもわたり１つの言語としてのアイデンティティを保ち、今なお進化を続けているという意味でタミル語は現存するインドの言語のなかでもっとも古い言語ということもできます。

　したがって、タミル人のタミル語に対する思い入れには、とても強いものがあります。20世紀にドラヴィダ運動（タミル語地域を中心に南インドの文化的・言語的紐帯を強調し、中央政府からの政治的自立を求める運動）が興ると、純粋なタミル語を取り戻そうとする動きも表面化しました。現代タミル語は、サンスクリット語、ヒンディー語、英語などからの借用語を多く含んでいるからです。たとえば、タミル語で日常的に用いられている「バーサイ」という単語は「ことば」という意味ですが、

サンスクリット語やヒンディー語の「バーシャー」に由来する語彙です。それを廃して「モリ」というタミル起源の単語を使えというのです。「世界」を表す「ウラガム」というタミルの単語もサンスクリット語「ローカ」に遡ります。しかし、「世界」を表す別の語彙は純正なタミル語には見あたりません。語彙の純化を徹底させるには無理があることは明らかです。

　タミル語純化の方針は、今の政治にも受け継がれています。タミルナードゥ州政府は、純粋なタミル語のタイトルを付けた映画に興行上の免税特権を与えるという優遇措置を講じています。タミルナードゥは年間200本近いタミル語映画を制作する州でもあるのです。2009年７月には、州都であるチェンナイの市役所が、新生児にタミル語名を付けると金の指輪を贈呈するという企画を打ち出しました。同じような発想に基づく政策です。

　このようにタミルの人々は、自分たちのアイデンティティの拠りどころを言語（タミル語）に求める傾向を強くもっています。　　　（山下博司）

政党の看板（チェンナイ市）。

テルグ文字
తెలుగు అక్షరాలు

テルグ　アクシャラール

テルグ語
తెలుగు భాష

テルグ　バーシャ
ドラヴィダ諸語

「テルグ文字はかわいい。」

　この文字を初めて見た日本人はよくそう言います。写真①を見てください。「あそこに幽霊が！」と書かれています。でも、あまり怖い感じはしません。写真②は、とあるハードボイルド探偵小説の表紙ですが、一見コメディに思えそうです。癒し系または愉快系文字と言ってもいいかもしれません。「かわいい」と言われる理由は簡単で、この文字の丸々とした形のせいでしょう。日本では昔女子学生の間で「丸文字」が流行りましたが、漢字に馴染んだ私たちにはきっと丸い文字は少女的だという先入観があるのでしょう。

　もちろん、丸いという点ではテルグ文字だけが「かわいい」わけではありません。写真③は、英・カンナダ・タミル・テルグ文字で書かれています。英字以外はすべて南インド系文字で、とくにカン

ナダ文字はテルグ文字とよく似ています。実際この2つは歴史的には同じ文字から分かれました。また、東南アジアのビルマ文字なども同じ系統の南インド系文字ですから、これらはみな「かわいい」文字の仲間たち、と言えます。

　ただし文字が似ているからといって、言語自体が似ているわけではありません。テルグ人はカンナダ文字を読めませんし、文法も会話も習わなければできません。アーンドラ地方で独自の在地語が話されていたことは、紀元前後の文献にすでに記録されていました。もともと名前のなかったこの在地語は、7世紀頃にサンスクリット語で「アーンドラ語」と、13世紀頃には在地語で「テルグ語」と呼ばれるようになりました。

　テルグ語といえば、古典音楽が有名です。カルナーティック音楽と呼ばれる南インド共通の伝統

写真①　テルグ語の大衆誌『アーンドラ・ブーミ』2009年1月8日号の心霊特集より。右上に幽霊らしきものが映って（描かれて？）いる。

写真②　文庫本の表紙。上にタイトル名（ミッドナイト・アドベンチャー）が、下に作者名（マドゥバーブ）が書かれている。

写真③　シンガポールのインド人街にある看板。上半分は英字とカンナダ文字でShree Sagar Veg Restaurantと、下半分はタミル文字とテルグ文字で書かれている。

音楽では、歌われる韻文のほとんどがテルグ語で作られました。テルグ語の音韻は語末が母音で終わることが大きな特徴で、歌に適していると言われています。したがって、タミル人やカルナータカ人でも、カルナーティック音楽の声楽家はみなテルグ語で歌うのです。

写真④　カラムカーリは、テルグ語圏を代表する工芸品。カラムというペンを用いて綿布に神話を描く巨大な物語絵は特に有名で、写真はその一部。

写真⑤　シュリー・ランガム寺院内部にある壁画の一部（17世紀頃）。現代テルグ文字とほとんど変わらない。

写真⑥　1988年に出版された小説『弁護士パールヴァティーシャム』の表紙。バープが挿絵と文字の両方を書いている。

テルグ語は話者人口およそ8000万人にも達する大言語です。ドラヴィダ系諸語の中では最大、インドではヒンディー語、ベンガル語に次ぎ第3位、世界的に見ても15位以内には入るのではないでしょうか。アーンドラ・プラデーシュ州とテランガーナ州の公用語ですが、話者は東南アジアやアフリカにも広がり、最近ではアメリカ合衆国や日本などで活躍する人々も増えました。しかし残念なことに、教育程度が高くなると英語を使うようになり、母語の読み書きができなくなる傾向にあります。また、母語の読み書きができる人の間でも、コンピュータの普及によって、自ら文字を手書きする機会が激減してしまいました。

そもそもテルグ人は、ことばとは何よりも音の世界と考え、文字の世界には格別の執着をもっていないように見えます。写真④は、カラムカーリと呼ばれる有名な伝統工芸ですが、そこに書かれる文字は、私からすると、到底理解に苦しむほどのダメダメな字です。17世紀の寺院の壁に描かれた同様の絵画を見ても（写真⑤）、やはり素晴らしい壁画の中に何の工夫もないフツーな文字が書かれていて、ガックリ来てしまいます。とはいえ、彼らなりの美意識がないわけではありません。写真⑥は有名な挿絵画家バープの文字です。彼の文字は、コンピュータ出現以前の文字デザインに絶大な影響を与えました。当時は、誰もがバープのように字を書こうと真似をしたものです。

そもそも、丸い文字は後戻りするような手の運びになるため、急がずゆっくり書くことが暗黙の了解です。スピードを高める目的で合理化された筆記体はなく、右肩上がりに傾いた形の字は褒められません。ただし、テルグ人は早口で喋ることが大好きなので、これはちょっと腑に落ちない気もしますが、ともあれ早く喋ってゆっくり書く、その意外性の中に、面白いテルグ語の世界を垣間見ることができるのです。　　　　（山田桂子）

カンナダ文字
ಕನ್ನಡ ಲಿಪಿ

カンナダ リピ

カンナダ語
ಕನ್ನಡ ಭಾಷೆ

カンナダ バーシェ
ドラヴィダ諸語

カンナダ語は、南インドを中心に分布するドラヴィダ諸語のひとつです。主にカルナータカ州で用いられ、州の公用語に定められています。カンナダ語を母語とする人々は、4000万人弱いると推定されています。カンナダ語の新聞や雑誌が数多く発行され、テレビ放送では10を超えるカンナダ語チャンネルを視聴できます。また、カンナダ語の映画も、有名なヒンディー語映画の本数には及びませんが、毎年かなりの数が制作されています。

その一方で、イギリス植民地期に始まった英語教育は、近年のグローバル化のなかで、エリートだけではなく社会のより多くの人々の関心を集め

カルナータカ州ハルミディで発見された5世紀頃の碑文。この碑文は、カンナダ語で書かれた最古の記録とされている。（出典：*Annual Report of the Mysore Archaeological Department for the year 1936*, Bangalore, Government of Mysore, 1938, Plate XXII）

カルナータカ州ニダッガルにある1661年の日付をもつカンナダ語碑文。文字は現在の形とほとんど同じだが、hの子音など一部が異なる。

18世紀末に一地方支配者がイギリス東インド会社に送った書簡の一部。紙に筆書きされた文字は、碑文に刻まれた文字と同じ字体であっても、見た目の印象はだいぶ違う。（出典：*Annual Report of the Mysore Archaeological Department for the year 1941*, Government of Mysore, Plate XX_A）

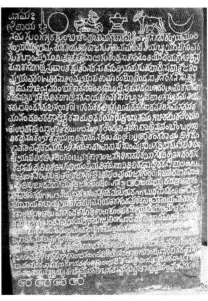

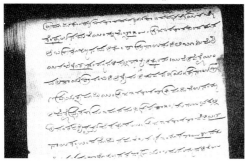

8世紀のガンガ朝シュリープルシャ2世による村落寄進を記録する銅板文書の一部。言語はサンスクリット語だが、文字はカンナダ文字。見た目の美しさにも配慮して丁寧に刻まれた字体は、全体に丸みを帯びた現在のカンナダ文字とかなり異なる。（出典：*Annual Report of the Mysore Archaeological Department for the year 1944*, Mysore, Government of Mysore, 1945, Plate XII）

るようになっています。英語で初中等教育を行う学校の人気は高まる一方です。こうした状況を、カンナダ語の危機と捉え、カンナダ語保護政策の推進を政府に求める人々も少なくありません。最近、州都の名前が植民地期に定着した英語風の「バンガロール」から、カンナダ語本来の「ベンガルール」に改められましたが、これもそうした人々の危機感の現れと言えるかもしれません。

カンナダ語の文章のつくりには、日本語に似たところがあります。たとえば、「彼女は今日学校へ行く」を、カンナダ語では次のように言います。

ಇವಳು	ಈವತ್ತು	ಸ್ಕೂಲ್ಗೆ	ಹೋಗುತ್ತಾಳೆ
イヴァル	イーヴァットゥ	スクールゲ	ホーグッターレ
彼女は	今日	学校へ	行く

文章は、主語で始まり、目的語などが続いて述語で終わることが一般的ですが、語順に厳格な決まりはありません。「行く」にあたる述語の語尾部分は、主語の人称や数（単数か複数か）、性別によって変わります。「彼女」などの代名詞が主語になる場合、述語の語尾の形から誰が「行く」のかがわかるので、主語は省略されるのが普通です。日本語に訳すと同じ「行く」でも、カンナダ語で「ホーグッテーネ」と言った場合、「行く」のは「私」（一人称単数）以外にはありえません。また、主語以外の部分も文脈からわかるので必要がない場合は省略されることがあります。

平叙文の末尾に「アー」をつけると疑問文になります。上記の例文では、述語部分を「ホーグッターラー」に変えると疑問文になります。発音するときは、文末のイントネーションを上げます。否定文は、述語の語尾に否定を意味する「イッラ」や「アッラ」をつけて作るのが一般的です。例文を否定文にする場合、述語部分は「ホーグヴディッラ」となります。文章が否定形なのか、肯定形なのかは、最後まで読まない（聞かない）とわかりません。この点も日本語と似ていると言えるで

しょう。

カンナダ語には、サンスクリット語に由来する単語が少なくありません。また、イスラーム諸王朝による統治やイギリス植民地支配の関係で、ペルシア語や英語の単語も数多くカンナダ語に入っています。たとえば、「学校」は「シャーレ」というサンスクリット語由来の単語がありますが、上記の例文のように英語の「スクール」もよく使われます。

カンナダ語表記に用いられるカンナダ文字は、テルグ文字と一見するとよく似ています。ふたつの文字はもともとは同じでしたが、13世紀頃から違いが見られるようになりました。カンナダ文字が今日ある形に最終的に整えられたのは、植民地期のことです。

現在、一般的に用いられるカンナダ文字は13の母音字と34の子音字からなります。子音のうち有気音は、ドラヴィダ諸語に本来は存在しませんが、カンナダ語ではサンスクリット語の影響で用いられるようになりました。カンナダ文字は有気音と無気音を書き分けられるようになっています。ペルシア語や英語からの借用語に含まれる f や z など、カンナダ語に本来はない子音には、ph や j などの似た音の文字をあてて表記していましたが、最近はそれらの文字に特別な記号をつけて、より厳密に書き分けることがあります。　　（太田信宏）

カルナータカ州マイソール市内にあるイスラーム教聖者の墓廟。墓廟の名前が、アラビア文字とともにカンナダ文字でも表記されている。

マラヤーラム文字
മലയാളം ലിപി
マラヤーラム　リピ

マラヤーラム語
മലയാളം ഭാഷ
マラヤーラム　バーシャ
ドラヴィダ諸語

マラヤーラム語はインドの西南の端に位置するケーララ州で話されている言語です。四大ドラヴィダ系言語（タミル、テルグ、カンナダ、マラヤーラム）のなかの一つです。

今日、およそ3300万人がマラヤーラム語を母語としています。マラヤーラム語を母語とする人々はマラヤーリと呼ばれます。マラヤーリはケーララ州以外にも、インド各地や海外に多く居住しています。その数はおよそ300万人と推計されていますから、マラヤーラム母語者の一割に達することになります。海外に暮らすマラヤーリは1998年後半の時点で、140万ほどとされています。とくに1970年代以降は、サウジアラビア、アラブ首長国連邦などの石油産油国に、多数のマラヤーリが移民労働者として出かけています。

インドに行くとインドの人たちはあまり「ありがとう」と言わないという印象を受けますが、ケーララでも同様です。辞書的には「ありがとう」を意味するのは「ナンニ」です。ただし英語の「サンキュー」もふつうに使われますし、「便宜」を意味する「ウパカーラム」という表現も耳にします。

トリシュール市内にあるクリシュナ寺院のお祭りのプログラム。手書きの方では、簡略化以前の文字が使われている。ポスターにあるプログラムと手書きでは、若干時間がずれているのが面白い。

「こんにちは」にあたるマラヤーラム語「ナマスカーラム」は、ヒンディー語などを通じておなじみになっている「ナマスカール」、「ナマステー」に近いですが、ごくフォーマルな表現です。親しい人々の間では、「エンドッケユンドゥ（・ヴィシェーシャム）？（なにか（ニュースは）ある？）」「スガマーノー？（元気？）」などが使われます。「さようなら」、「またね」を意味する表現は「（ポーイ・）ワラッテ」、「ポーッテ」などです。

　ケーララは他の地域と異なって、キリスト教徒とイスラーム教徒が、それぞれ人口の20パーセントほどを占める特殊な地域であり、宗教コミュニティに独特な表現がみられます。たとえば、母親、父親を意味するマラヤーラム語は普通、アンマ、アッチャンですが、イスラーム教徒の場合は、ウンマ、ウッパ（あるいはワーパ）、キリスト教では、アンマッチ、アッパン（あるいはアッパッチャン）といった具合です。地域によっても微妙な違いがありますが、ケーララ中央部にあたるコータヤム地域で話されるマラヤーラム語が、新聞などに使われる文語に一番近いといわれます。

　次に単純な文章を示します。

わたしはお茶を飲みます。
ഞാൻ ചായ കുടിക്കുന്നു.
わたしはお茶を飲みました。
ഞാൻ ചായ കുടിച്ചു.

　マラヤーラム語を学ぶとき若干の困難を覚えるのは、①文字、および子音の結合、②単語の結合、③格変化、④過去形などです。ただし①については、1970年代の半ばに文字が簡略化され、子音結合のパターンも減りました。丸みを帯びたマラヤーラム文字をはじめて目にする人は、いったいどのように書くのか首をかしげたくなるかもしれませんが、基本的に左（下）から一筆で書きます。

　一方、楽な点もあります。マラヤーラム語は主語（女性か男性か、単数か複数か、一人称・二人称・三人称か）によって動詞の形は変化しません。また、語順は日本語と同じです。なに、いつ、どこといった疑問詞を使う疑問文以外、平叙文から疑問文への変化も簡単です。基本的に、動詞の部分の母音をオーに変えると疑問文になります。また、名詞に女性、男性、中性といった区別は実質的にありませんから、名詞の性によって複数形や形容詞などが変化することはありません。ドラヴィダ系言語とはいえ、サンスクリット語起源の単語が多数マラヤーラム語には取り入れられていますから、サンスクリット語やヒンディー語を学んだ人には意味が見当のつく場合も多いのです。

（粟屋利江）

ケーララ州の州都ティルバナンタプラム（トリヴァンドラム）に開店した総合マーケット「ビッグ・バザール」の入り口。「国は変わった……ファッションも変えよ」というコピーが見える。

チベット文字
 བོད་ཡིག་
ブーイー

チベット語
བོད་སྐད་
ブーケー
シナ・チベット語族（チベット・ビルマ語派）

　チベットには、独自のことば（チベット語）があり、それを書き表す独自の文字体系（チベット文字）があります。

　チベット語は中国、インド、ネパール、ブータンなど、複数の国にまたがって用いられています。一口にチベット語といっても、一方には各地域で通用する多様な話しことばの世界があり、また一方には、仏教経典から恋愛小説まで様々なジャンルにおよぶ書きことばの世界があります。これらのそれぞれに固有の語彙や文法体系があり、その総体としてチベット語があります。

　ここでは、文字に書かれたチベット語に注目して、ことばと文字をめぐる歴史を垣間見てみよう

と思います。

　時は7世紀。チベット高原にはいくつもの国が誕生し、戦いが繰り返されていました。その中の覇者となったのが吐蕃のソンツェンガンポ王です。この王は国の基礎を築くために法制や度量衡を定めたほか、国の文字を定めました。

　当時チベットの隣には中国とインドという二大文字文化圏があり、それらの国々と交流をもっていたことは、文字を導入する大きな契機となったのでしょう。結局、王が採用したのは、当時インド北部で用いられていたインド系文字でした。表音文字であるインド系文字は、子音連続の多い当時のチベット語を表すのにうってつけでした。

　このチベット文字制定プロジェクトにかかわった人々は、文字の形はほぼそのまま踏襲しながらも、チベット語音の特徴を考え、不要な文字を割愛し、必要な文字を追加するなど試行錯誤して文字体系を定めていきました。

　そのうちの一つとして、チャとツァの話をご紹介します。インドの言語ではチャとツァを区別し

チベット最古の仏教寺院であるサムイェ寺に建つ碑文。建立年代は8世紀。

ラサのバス停の停留所名表示。チベット文字は横書きが基本だが、中国語表記のスタイルに合わせて、この写真の下部の文字のように縦書きすることもある。

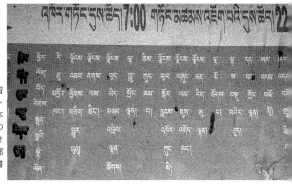

ないので、チャに対応する文字しかありません。一方、チベット語ではチャ＝茶、ツァ＝塩のように、意味のある音として区別します。後にチベットの重要な交易品目となるお茶と塩、文字で区別できなければお話になりませんね。どのように区別したかというと、チャの右肩に小さな印を付すことによってツァとしたのです。似ているけれども違う、という特徴をうまくとらえた先人の工夫です。

　もう一点ご紹介しましょう。見出しの「チベット文字」という文字をご覧ください。最初の２文字は「チベット」、次の２文字は「文字」という意味を表し、間に点が付されています。これは文字列を音節ごとに区切る点です。この点で区切られた文字列は、それぞれが意味をもつ最小単位であり、かつ一個の母音を含む音節の単位、つまり、形と意味と音の三位一体をなすようにデザインされています。

　このような音節区切り点は、インドの文字やそのほかのインド系文字のどれを見ても存在しません。むしろ漢字の発想だと思いませんか？　もしかすると、文字の形こそインドから借りてきたけれども、意味の最小単位ごとに点を打つというプレゼンテーションの方法は漢字にヒントを得たのではないかと想像しています。

　最後に、インド人もびっくりの辞書配列の話をしましょう。チベット文字にも配列順があり、辞書でも基本的には順序通りに単語が配列されているのですが、単語の並べ方はちょっと変わっています。

　たとえば「幸せな」という意味を表す སྐྱིད་པོ (skyid po) という単語があります。最初の部分は一番上が母音記号、その下にskyという子音字が重ねて書かれています。辞書の引き方を学んだことがなければ、ｓの項目を探そうとするでしょう。しかし実際はｋの項目を引かなければなりません。

　チベットでは、音節の核をなす子音字を基字と呼び、中心的なものとして考えます。skyidなら、ｋが基字で、ｓやｙを周辺的な要素と考えるのです。そして、辞書の配列で一番ベースになるのは基字であって、周辺的な要素はその下位として配列にかかわるということです。チベット文字のルーツであるインドではこのような配列は考えられないそうですから、これまたチベット独自の発想といえそうです。

　ところで、先にあげた「幸せな」を意味する単語は、ラサのチベット語では「キブ」といい、綴りにあるｓやｄは発音されません。時を経て音が変化しても綴りはそのまま。文字に刻まれたチベット語の歴史をチベットの人々は大事にしているともいえますね。　　　　　　（星　泉）

ラサ・ビール。チベット文字で、ラ・サ・ビ・ラーと書いてある。ビはビールのビ。ラーはアラビア語由来のお酒を表すアラーのラー。異なるルーツの借用語を組み合わせているが、響きはきわめてチベット的。絶妙な造語だ。

2008年にラサで発売された画期的なチベット語電子辞書。大部の辞書がたっぷり入っていて串刺し検索ができて便利。

ビルマ文字

မြန်မာအက္ခရာ

ミャンマー　エッカヤー

ビルマ語

မြန်မာဘာသာ

ミャンマー　バーダー

シナ・チベット語族（チベット・ビルマ語派）

　ビルマ語は、ミャンマー連邦（ビルマ）の公用語です。

　ミャンマー連邦は人口約5000万人であり、人口の約70パーセントを占めるビルマ族のほか、ビルマ族とは言語や文化の異なるたくさんの民族がいます。学校教育や公の場で使われる言語はビルマ語となります。話し手は、母語として約4000万人、第二言語として約1000万人いると推定されます。

　ビルマ族は9世紀頃、現在の中国の雲南省から南下してきてエーヤーワディー（イラワジ）川の流域に住み着いたと考えられています。ミャンマー南部でモン人が使用していた文字を借り、工夫を加えて自分たちのことばを書き表しました。

　ビルマ文字の歴史は、12世紀初頭に彫られたミャーゼーディー碑文まで遡ることができます。この碑文は、パガン王朝のチャンシッター王の息子ヤーザクマーが建てたものです。四面からなる石柱のそれぞれの面に、ビルマ語、パーリ語、モン語、ピュー語で同じ内容を刻んだもので、ビルマのロゼッタ・ストーンと呼ばれます。

　ビルマ文字は、ビルマ語のほかに上座部仏教の経典語であるパーリ語のお経を書き表すためにも用いられます。形は丸形を基本とした、なんともかわいらしいものです。碑文のやや角ばった字から、貝葉に文字が書かれるようになってしだいに

ヤンゴン市の食堂の看板。「沖縄」とビルマ文字で書かれている。

マンダレー市の移動かき氷屋の看板。「マンダレーで最高」と看板の上部に書かれている。

ヤンゴン市のコピー屋の看板。

貝葉に鉄筆で刻まれたビルマ文字。ミャワディ卿ウー・サ（1766～1853）作の歌謡の歌詞が書かれている。1849年に作成された原本を1883年に写した写本。（ヤンゴン大学歴史研究センター図書館所蔵）

丸みをおびるようになり、現在の形ができあがりました。◌（パ）や◌（ガ）、◌（ンガー）など、まるで視力検査表のように、丸の上下左右の一部が欠けた文字があります。数字も独自のビルマ数字を使用し、車のナンバーや店頭での価格表示などに見ることができます。

　ビルマ語は、日本語に比べて数多くの母音があり、また音の高低や抑揚の違いによって表す意味が異なってきます。一方、日本語にある音でビルマ語にないものもあります。日本語のキャ、キュ、キョにあたる発音はビルマ語にはないため、「東京」は「トーチョー」と発音されます。

　語順は日本語とほとんど同じです。そのため、日本人にとって文法は比較的学びやすいといえるでしょう。たとえば、「彼は魚を売る」という表現では、次のようになります。

သူ	ငါး	ရောင်း တယ်
トゥ	ンガー	ヤウン　デー
彼は	魚（を）	売る

　日本語の「〜が」「〜を」にあたる助詞もありますが、文脈上必要なければ省略することもできます。疑問文では、文章の最後に「〜か」にあたる疑問の助辞をつけます。イントネーションは上がりません。また、上記の「売る」にあたる「ヤウン　デー」の「デー」は、「過去」と「現在」を表す助辞です。「未来」を表すさいには「デー」を「メー」にかえます。

　挨拶のことばとして、မင်္ဂလာပါ（ミンガラーバー）があります。ビルマ語の意味は「吉祥です」となります。これは学校用の挨拶ことばとしてつくられた表現であり、外国人を相手にするホテルなどでもこう挨拶されることがありますが、ビルマ人同士が普段の生活で使うことはありません。通常は、ထမင်းစားပြီးပြီလား（タミンサービービーラー「もうご飯は食べましたか？」）や、ဘယ်သွားမလဲ（ベートワーマレー「どちらにお出かけですか？」）などの、具体的な内容を問いかけて挨拶します。そのような挨拶には、「食事はすみました」「ちょっと買い物へ」などと通常は簡単に返しますが、親しい間柄では「私にごちそうしてくれるっていう意味？」などと時に冗談で返すこともあります。

（井上さゆり）

1849年に作成されたミャワディ卿ウー・サの歌謡集を書き写した折り畳み写本の表紙。紙に文字を書くため、貝葉よりも線の運びがスムーズである。上下を思い切りよく流して書いた美しい書体。18世紀〜19世紀初。（ミャンマー国立図書館所蔵）

クメール文字
អក្សរខ្មែរ
アクソー　クマエ

カンボジア語
ភាសាខ្មែរ
ピアサー　クマエ

オーストロアジア語族（モン・クメール語派）

カンボジア語（クメール語）はカンボジア王国の公用語で同国の人口約1600万人（2020年現在）のうち、約9割が母語として話すことばです。また、ベトナム、タイの一部でも話されています。原語には、カンボジアにあたる語កម្ពុជាカンプチアと、クメールにあたる語ខ្មែរクマエの2語があります。前者は正式国名などに用いられ、上に示したように、言語名や文字名など一般には後者を使います。

カンボジア文字（クメール文字）は表音文字ですが、子音 k はក、母音 a はា、ka はកាというように、ローマ字とはずいぶん形が異なります。この文字は、カンボジア語を表記する以外に、カンボジアおよびタイで、パーリ語の仏典などにも用いられてきました。また、ベトナム南部にも出版物があります。

7世紀初頭からの記録が残っている、古くから固有の文字をもっていたことばであるため、音が変化するに従って、現代語の音と文字の間には複雑な対応関係が生じました。たとえば、子音 k を表す文字は2つ（កとគ）もあるのに、2つの母音（アーとイア）を表す記号は1つ（ា）しかありません。母音記号がどちらの音を表すかは、組み合わされる子音文字が決定します。上に紹介したភាសា（言語）という語でも、同じ母音記号のាが、前半では子音文字ភと組み合わされてイアという音を、後半では子音文字សと組み合わされてアーという母音を表しています。

文章は、左から右に横書きし、日本語と同じく分かち書きをしません。文中での意味の切れ目にはスペースをあけます。基本の子音文字が33個あり、その上下左右のいずれか、もしくは組み合わ

首都プノンペン市内の映画館の看板。（神田真紀子氏撮影）

一般書体　ភាសាខ្មែរ　ភាសាខ្មែរ

装飾書体　ភាសាខ្មែរ

手書き書体　ភាសាខ្មែរ

フォントの例（KhmerOS）。

コンポンチャム市内のオートバイのナンバープレート。（神田真紀子氏撮影）

せた位置に母音記号を付けます。また、読み方を変えたり同音異義語を区別する補助記号もあります。さらに、1つの語の中で子音が連続する場合には、脚と呼ばれる別形態を使います。たとえば、Mにあたる子音文字は ម ですが、上に紹介した ខ្មែរ（クメール）という語の中では、脚になって ្ម という形になっています。ほかに、子音文字と母音記号が一体化した独立母音字、数字、句点も固有のものがあります。

書体は、大きく分けて、碑文や仏典、印刷物の題字や看板などに用いる装飾的なものと、一般の印刷物の本文に用いるものの2種類があります。書き順は、文字によっては下から上に書くものもあります。また、左から右に横書きするといっても、下の写真のように、ノートを縦に開き、手前からノートの綴じている部分に向かって書いている光景を見ることがあります。

20世紀後半に内戦が続いた影響で、国語辞典が改訂されず、複数の綴りが可能な一部の語彙について国語辞典と学校教科書では異なる正書法が採用されています。内戦の影響に加え、文字や記号の数が多いこともあって、コンピュータでの文字

利用も進みませんでしたが、近年、インターネット上で検索したり、ニュースなどを読めるようになってきました。

カンボジア語には、名詞が複数形になったり、動詞が過去形になるような単語の形の変化はありません。また、日本語の「が」、「を」のような助詞もありません。その代わりに、語をどのような順番で並べるかによって文の意味が異なります。たとえば、យក（手に取る）と ទៅ（行く）という2語では、ទៅយក（行く＋手に取る）は「取りに行く」で、យកទៅ（手に取る＋行く）は「持って行く」という意味になりますし、មួយ（1）と ម៉ោង（時間）という2語では、មួយម៉ោង（1＋時間）は「1時間」で、ម៉ោងមួយ（時間＋1）は「1時」という意味になります。

基本語順は、①述語の前に主語を、後に目的語をおく、②後ろから修飾する、③付属語を前におく、の3つです。疑問文の語順が変わらない点や、とくに言う必要のない主語や目的語は言わなくていい点は、日本語と似ています。　　　（上田広美）

カンボジア式のノートの書き方。（山極小枝子氏撮影）

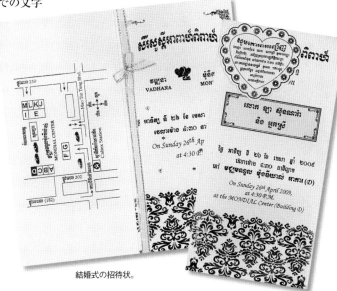

結婚式の招待状。

タイ文字
อักษรไทย
アクソーン・タイ

タイ語
ภาษาไทย
パーサー・タイ

タイ・カダイ語族（タイ諸語）

タイ語は中部地域の方言をもとにした、約6300万人が使用するタイの公用語です。中国南部、ミャンマー東部、ラオス、ベトナムにも類似の「タイ諸語」を話す人々がいます。国内ではラオ語と関係の深い東北部方言や北部、東部、南部に各方言があります。言語系統としてはタイ・カダイ語族に属しています。

タイ語は中国語や他の東南アジアのことばと共通の単音節型声調言語で、意味をもつ最小単位の音節は「頭子音＋韻（母音または母音＋末子音）」の形をとります。この音節はまた、韻尾の有無や種類によって平音節と促音節に分けられます。

声調には、平声（ずっと平らに）、低声（低く）、高声（高く）、下声（急に下がる）、上声（徐々に高く）

の5つがあり、たとえば平音節の単語では平声「マー maa」（来る）や高声「ラーン ráan」（お店）、促音節の単語では高声「ラック rák」（愛する）や下声「プート phûut」（話す）などと発音します。頭子音には息を強く吐く有気音と、息を漏らさない無気音の対立があります。またはっきり発音しない3つの末子音 -k, -p, -t の発音とならんで日本人にとっては習得に苦労するところです。

文法的には「主語＋動詞（または形容詞）＋目的語（または補語）」の語順をとります。名詞の性、数、格によって変化したり、動詞のテンス（時制）や人称による語形変化はいっさいありません。また一部例外を除いて助詞も使いません。そのため語順が最も重要となります。修飾関係は「ビア bia

若者に人気のマクドナルドの看板。「あなたの新しいチョイス」、「おいしい」（アロイ）。「降車不要」（マイ・トン・ロン・チャーク・ロット）とある。

チェンマイの大学の校門。一番上には北タイで使われていた「タム文字」も書かれている。

（ビール）＋イェン yen（冷たい）」＝「冷えたビール」のように日本語や英語とは逆の「被修飾語＋修飾語」となります。時間、場所の副詞句などは文頭にも文末に置くこともできます。また、談話内では代名詞や目的語を省略できることは日本語とも共通します。

mûawaanníi	phŏm	duu	nák sadɛɛŋ	thay
昨日	私	見る	俳優	タイ

「昨日、私はタイの俳優を見た」

　タイ文字は、南インド系の文字を起源とするクメール文字を改良した表音文字です。子音字42、母音28、声調符号4とその他の符号から構成されています。子音字は中類字9、高類字10、低類字23の3種に分けられ、頭子音がそのどれに属すかで音節の声調が異なります。また子音自体の発音は21種しかないので、同音異字を区別するために

高架鉄道内の警告。左から「喫煙禁止」（ハーム・スープ・ブリー）、「飲食禁止」（ハーム・ラップ・プラターン・レ・クルアンドゥーム）。

幼稚園の宣伝。「ローンリアン・アヌバーン・チュライラット」（チュライラット幼稚園）。

ฆ「卵のkh」（高類字）、ค「水牛のkh」（低類字）、ฅ「鐘のkh」（低類字）のように名称がつけられています。

中類字	ก [k]	จ [c]	ฎ [d]	ฏ [t]	ด [d]	ต [t]	บ [b]	ป [p]
	อ [ʔ]							
高類字	ข [kh]	ฉ [ch]	ฐ [th]	ถ [th]	ผ [ph]	ฝ [f]	ศ [s]	ษ [s]
	ส [s]	ห [h]						
低類字	ค [kh]	ฆ [kh]	ง [ŋ]	ช [ch]	ซ [s]	ฌ [ch]	ญ [y]	ฑ [th]
	ฒ [th]	ณ [n]	ท [th]	ธ [th]	น [n]	พ [ph]	ฟ [f]	ภ [ph]
	ม [m]	ย [y]	ร [r]	ล [l]	ว [w]	ฬ [l]	ฮ [h]	

　下は声調表です。字類、平音節か促音節の別、声調符号の有無で声調が決まっています。

頭子音の種別	声調符号がない音節		声調符号がある音節			
	平音節	促音節	第1符号	第2符号	第3符号	第4符号
中類字	平声	低声	低声	下声	高声	上声
高類字	上声	低声	低声	下声	なし	なし
低類字	平声	間が長母音下声 / 間が短母音高声	下声	高声	なし	なし

平音節とは：①韻が長母音、二重母音、余剰母音で終わるか、②末子音が -m、-n、-ŋ、-y、-w の音節

促音節とは：①韻が短母音で終わるか、②末子音が -k、-t、-p の音節

　母音符号は子音字の上下左右につけます。「ア」は右、「イ」は上、「ウ」は下、「エ」は左、二重母音は左右と上その他などになります。

คุณ	จะ	ไป	เชียงใหม่	โดย	เครื่องบิน	หรือ	เปล่า
khun	cà	pay	chiaŋmày	dooy	khrûaŋbin	rǔɯ	plàaw
あなた	(助動)	行く	チェンマイ	〜で	飛行機	〜ですか	

「あなたは飛行機でチェンマイへ行く予定ですか？」

（宇戸清治）

ラオス文字
ໂຕໜັງສືລາວ
トーナンスー　ラーオ

ラオス語
ພາສາລາວ
パーサー　ラーオ
タイ・カダイ語族（タイ諸語）

「ラオス語」はラオス人民民主共和国の公用語です。現地語に従って「ラオ語」あるいは「ラーオ語」とも言います。主にラオス国内に約 580万人（2007年ラオス人口・国立統計局）の話し手がいますが、この中には日常会話は固有の言語を話し、ラオス語を母語としない民族も含まれています。また、東北タイで日常話されているタイ語東北タイ方言（イサーン方言）は、文字をもつラオス国内のラオス語とは若干の違いはあるものの、同じ言語の方言であり、その話し手は約2400万人だと言われています。

はじめにラオス語の言語学的特徴を少しお話し

します。系統は現在のところ、タイ・カダイ（Tai-Kadai）語族のタイ（Tai）諸語南西タイ語群に属するというところまで認められています。単音節声調言語で、形態論的には孤立語です。文の語順は、基本的には［主語−動詞−補語］、句の語順は「被修飾語−修飾語」です。

ラオス文字は、1991年に制定されたラオス国憲法第9章第75条に「ラオス語及びラオス文字が公式に使用される言語及び文字である」と記載されているように、ラオス国内で公に使用されている独自の文字です。

現在のラオス文字は、27の「子音字」と33の「母

古ラオス文字と思われる碑文。

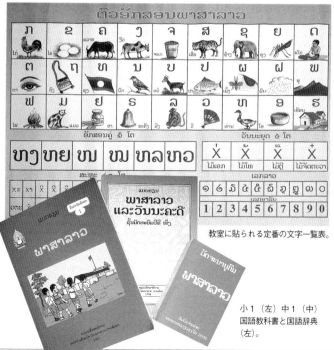

教室に貼られる定番の文字一覧表。

小1（左）中1（中）
国語教科書と国語辞典
（左）。

音符号」および4つの「声調記号」から構成され
ています。ラオス語では伝統的に子音字が文字の
読み方の中心的存在で、辞書も子音字のいわゆる
アルファベット順が索引順となっています。原則
として一文字一音を表す表音文字で、これらを一
定の規則に従って組み合わせて音節を表していき
ます。たとえば、「ラオス語」は次のような仕組
みになっています。

「ພ-າ　ສ-າ」+「ລ-າ-ວ」→「ພາສາລາວ」
ph-áa　s-ăa　l-áa-w　→　pháasăaláaw
「　言語　」+「ラオス」→「ラオス語」

文も語句も左から右へ横書きに書き、語の分か
ち書きをすることはありません。文法的に意味の

伝統的な文芸誌（左）と
若者向け雑誌（右）。

英語の綴りにあわせて文字を
並べたため、読めるようで読
めないラオス文字の綴り。

固まりをもつ句と句の間に適当なスペースやカン
マを置くことがあります。

　ラオス文字の詳細な文字史は不明です。一般に
デーヴァナーガリー文字に起源をもち、古クメー
ル文字をもとにタイのスコータイ文字を経由して
14世紀前後に現在のもととなる文字が作られた
といわれています。一方で、ラオス文字史を語る
ときにはタム文字の存在を忘れてはいけないでし
ょう。タム文字は、仏典や文学を表す手段として
用いられた文字として知られており、このタム文
字を使ったバイラーン（貝葉文献）が多く残って
いますが、古ラオス文字と言えるような文献は少
なく、最古例も明らかではありません。ラオス文
字の形は、自分たちのことばを自分たちの文字で
表したいという、スコータイ文字やタム文字など
との弁別にこだわったラオス人の想いが凝縮され
た形だと言えるでしょう。

　古いラオス文字文献がなかなか存在しない大き
な理由は、次の2つが考えられます。まず、17世
紀に全盛期を迎えたランサン王国時代、文化人・
知識人階層の代表格でもあった僧侶は、パーリ語
仏典の記述にもっぱらタム文字を用いていたため
です。もう一つは、20世紀前半の仏領インドシナ
時代、フランス語で教育を受けること、公用語は
フランス語であることが義務づけられていたため、
ラオス文字を学習し、それを使って表現する機会
が少なかったからだと考えられます。

　ラオス文字の正書法体系については、国内及び
世界情勢に揺られながら生きた人々の様々な思惑
の中で、何度か改定されてきました。この度重な
る文字数や表記法の変更によって、文字表記に世
代差が見られます。一時は使用を廃止され、教科
書から消えたのですが、また復活した文字もあり
ます。今、街中で外来語のラオス文字表記として、
様々な試みとも言える綴りが見られます。

（鈴木玲子）

ジャワ文字
ꦲꦏ꧀ꦱꦫꦗꦮ/ꦲꦤꦕꦫꦏ

アクサラ ジョウォ／ホノチョロコ

ジャワ語
ꦧꦱꦗꦮ

ボソ ジョウォ
オーストロネシア語族（西マラヨ・ポリネシア語派）

ジャワ語はインドネシアのジャワ島東部で話されていることばです。群島国家インドネシアでは、島ごとに（そしてときには1つの島の中でも）違うことばが話されており、その数は300以上にのぼると言われています。ジャワ語はそれらのことばの中でもっとも多くの話者人口（約7500万人）をもちます。

そのジャワ語を表記するのに用いられてきたジャワ文字は、子音字と母音記号を組み合わせるというインド系文字に共通するシステムや、サンスクリットからの借用語を表すための、ジャワ語にはない音を表す文字ももっている一方で、本来のインド系文字とは異なる配列（「ホ・ノ・チョ・ロ・コ」

と呼ばれる並び順で、これは日本の仮名が「いろは」と呼ばれるように、ジャワ文字の別名にもなっています）や、曲線的で装飾性が高い優雅な字形に、独自の発達が見られます。

ジャワ文字の歴史は、9世紀のカウィ文字に遡ることができます。もっとも古い形は銅板や石碑などの碑文で、王による僧院への寄進が記録されています。その後、おもな書記媒体は貝葉（ヤシの葉を乾かしたもの）、紙へと変化しました。伝統的な文学作品としてはカカウィン ꦏꦏꦮꦶꦤ꧀ と呼ばれる韻文が有名で、19世紀以降はジャワ語小説なども印刷されています。

このような長い伝統をもつジャワ文字なのです

1956年に出版されたジャワ文字の教科書。左側の「ミリ」という木の実は、インドネシアでスパイスの一種として使われるナッツの一種。

現在小学校で用いられているジャワ語の教科書。ローマ字表記とジャワ文字表記が併用されている。

が、21世紀のジャワではあまり重視されていません。現在、学校や役所などの公的な場では、共通語である国語インドネシア語（ローマ字表記）が用いられているので、今日私たちがジャワ語地域を旅して目にするジャワ文字といえば、通りや伝統的な建築物の名前を記したプレートぐらいです。小学校、中学校では「地方科」の一部として教えられていますし、本屋に行けば、ジャワ文字の教則本も売っていますが、多くのジャワ人にとって、ジャワ文字は日々使うものではなく、教養として

旧スルタン王宮（クラトン）の外門。（ジャワ暦）1858年および「ダナ・プラタパ」と書かれたジャワ文字表記が見られる。

ヨグヤカルタ（別名ジョグジャカルタ）では、通りの名前がアルファベットとジャワ文字両方で表示されている。

有名なボロブドゥール遺跡の中にあるホテル・マノハラ。ロビーの前にホテル名がジャワ文字で書かれている。

学ぶべき対象として捉えられているようです。

一方、話しことばとしてのジャワ語に話を戻せば、こちらは今でも、都市部の一部をのぞき、ほとんどのジャワ人の母語として日常的に用いられています。とくに田舎では、今でもジャワ語の使用率が高く、小学校の低学年では、先生が、教科書のことばであるインドネシア語だけでなく、ジャワ語を用いて授業を行うという光景もよく見られます。

ジャワ語の特徴としてよく知られているのは、高度に発達した敬語システムです。尊敬語、謙譲語などがあり、仕組みは日本語の敬語とよく似ているのですが、ジャワ語の場合は、敬語の種類によって異なる単語が用いられるというところがユニークです。たとえば、同じ「言う」という内容を表す場合でも、次のような単語の使い分けがあります。

普通体	丁寧体	尊敬語	謙譲語
コンド [kondo]	ニュリオス [nrios]	ングンディコ [ŋəndiko]	マトゥル [matur]
「言う」	「言います」	「おっしゃる」	「申し上げる」

名詞についても同じで、たとえば、「足」を表す語、「子」を表す語はそれぞれ2つずつあります。

日本語の意味	普通体	丁寧体	尊敬語
足	シキル [sikil]	スク [suku]	
	「足」	「お足」	
子	アナッ [anak]		プトロ [putro]
	「子」		「お子様」

この複雑なシステム、ジャワ人でも完璧に習得するのは大変ですが、ジャワ人は、正しい敬語使用をとても重視しています。ジャワ人の家庭では、子供がきちんと敬語を使えるよう、子供が最初の一言を話し始める頃から、きちんとしつけを行っています。
（塩原朝子）

ハングル
한글
ハングル

韓国語 / 朝鮮語
한국어 / 조선어
ハングゴ／チョソノ
系統不明

　朝鮮語は、主に大韓民国・朝鮮民主主義人民共和国で話されていることばですが、中国吉林省の延辺朝鮮族自治州や、ロシア、中央アジアの一部などでも話されています。

　朝鮮語といえば、ハングル文字、というほど、ハングルは朝鮮の文化を代表する重要なものですが、ハングルの歴史は意外に新しく、「訓民正音」の名で世間に広く公布されたのは、1446年9月のことです。訓民正音は、李氏朝鮮第4代国王である世宗大王（在位1418〜1450）の親制であると伝えられています。

　訓民正音の起源については、古篆模倣説、象形説（各文字の形が、発音するさいの口や舌の形を象ったものであるという説）、梵字、蒙古文字、パスパ文字、チベット文字、パーリ文字、日本神代文字起源説等、諸説ありますが、いずれにしても、少数の子音・母音を表す記号を頭子音・核母音・末子音として組み合わせることで、朝鮮語を自在に表せるようにした表音文字ハングルは、朝鮮語音韻を深く分析した上で成立した、画期的な発明であったといってよいでしょう。

　なお訓民正音（ハングル）が作られるまでは、朝鮮語は固有の文字をもっておらず、朝鮮における記録は、漢字によってなされていました。漢文、または朝鮮化された漢文（「吏読」のように、漢字を朝鮮語の語順に従って排列し、さらに文法形態を、やはり漢字の音訓を利用して補充したものなど）による表記は、朝鮮の文字生活において確固とした地位を築いており、実際、漢字とは異なる文字を作ることに対しては、儒臣たちの強い反対がありました。

スターバックスは韓国にも。（杉山豊氏撮影）

列車の案内板「ムグンファ（無窮花、ムクゲ）号。釜田→東大邱（慶州経由）」。

ソウルの食堂に掛けられたメニュー。「干しスケトウダラのスープ　5500ウォン。米・キムチ・牛骨　国内産です。お持ち帰りできます」と書かれている。美味。

『般若心経諺解』（1495年）、各ハングルの左にアクセントを表す傍点が見える。（東京大学文学部小倉文庫所蔵）

健康飲料の看板。名前は「思ったより軽い、すっきりした」という意味。（杉山豊氏撮影）

本語に見られるような、ピッチアクセントの対立をもっていたことがわかります。現代朝鮮語でも、慶尚道方言や、中国の延辺朝鮮族自治州において話されている延辺朝鮮語には、弁別的なピッチアクセントの対立が観察され、古い時代の特徴が保存されています。

　朝鮮語は、語順が日本語と同じであるなど、日本人にとって非常になじみやすい・学習しやすい言語の一つですが、さらに日本人にとって学習を容易にしている要因として、朝鮮語には、日本語と同様、漢字語が多数含まれていることがあげられます。朝鮮漢字音は、日本漢字音の一種である「漢音」や「新漢音」とほぼ同時代の中国語（唐代長安音と考えられます）が元になっているものです。そのため朝鮮漢字音と日本の漢音・新漢音は、お互いに発音がとても似ています。

　また現代朝鮮語の漢字語には、中国から直接輸入したものだけでなく、日本に由来する漢字語を、朝鮮漢字音で読みつつ借用したものも多く含まれています。たとえば、「世帯」→ 세대（セデ）、「車掌」→ 차장（チャジャン）など。このような日本語からの借用語の場合、日本では漢字を使って書かれるけれども訓読みで読まれる単語が、やはり朝鮮漢字音で読まれることによって借用されているものもあります。たとえば「取り扱い」→「取扱」→ 취급（チュイグプ）、「手続き」→「手続」→ 수속（スソク）などです。　　　　　（伊藤智ゆき）

　そのため訓民正音公布後も、公的文書などでは漢文・吏読が使われ続け、訓民正音は主に宮女たちの間で使用されていきました。その後次第に、訓民正音は士大夫階層の婦女子や平民たちの間にも広まっていきましたが、この文字が国字としての地位を確立したのは、19世紀末以降のことでした（この時期に「国文」（後にハングル）という名前が一般化しました）。

　ところで、15〜16世紀の朝鮮語文献には、傍点という、音の高さを記した記号が、各音節の左脇に付けられています（具体的には、1点は高い音調を、2点は上昇する音調を、無点は低い音調を表します）［上の写真］。この点も、訓民正音という表記体系が、深い音韻分析に基づいて作成されたことを示しています。これら傍点によって表されている音調を検討すると、この時代の朝鮮語は、現代日

サンスクリット文字の不在

サンスクリット文字というものは存在しません。のっけから何だと思われるかもしれませんが、古典サンスクリット語が確立した紀元前4〜5世紀のインドにおいて、サンスクリット語はまず読誦され、記憶され、学習され、伝承されました。ヴェーダ聖典もごく近代までそのように伝承されてきました。

また一方では、サンスクリット文字は何十種類も存在していると言えます。サンスクリット語（サンスクリタム）の50の音素を正しく表記できるものはどれもサンスクリット文字となることができるのです。現在のインドの文字で、そのために用いられる代表的なものがナーガリー文字です。この文字での「サンスクリタム」は、संस्कृतम् となります。

現在では用いられることが少なくなりましたが、20世紀初頭以前の南インドでの代表的なサンスクリット文字がグランタ文字です。この文字での「サンスクリタム」は、ഗ്ലന്ത となります。1790年に出版されたヨーロッパで最初のサンスクリット語文法の本ではこの文字が使われています。

あるいはアルファベットに点などを付けて表記してもよいのです。saṃskṛt というような形式が現在では一般的です。20世紀のはじめ頃などでは saṃskṛt bhasa といった表記も行われました。下点を付けるところや長音記号を付けるところがイタリックになっています。

全体がイタリックのときは逆の表記 saṃskṛt bhasa になります。また電子テキストのためにはイタリックの代わりに大文字を使う方法も広く行われていました。

また東南アジアのインドネシア、ベトナム、カンボジアなどの古い文字でも表記された歴史がありますし、日本でも悉曇文字（いわゆる梵字）によってサンスクリット語は表されてきました。

（高島 淳）

ഗൃഷ്ടി ſrſzti creatio, creatura, res creata.

ഗൃഷ്ടതുാ॰ ſrshtatuam. actio creandi.

ഗൃക3 vel ഗൃഷ്ട8 ſrka, vel ſrshta, creator.

 സ ൽ ſal, exſiſtentia

സ്വയം॰ഭൂത്വാ॰ ſuayambhutvam, aſſeitas.

സർവ്വ്യാബ്തി ſarvavyàbti, immenſitas.

സർവ്വചാരുത്വാ॰ ſarvaciàrutvam. omnis perfectio.

അവ്യക്ത3 avyakta res, ens ſimplex, indiviſibile.

അദ്വയ8 advaya, nemini ſecundum.

Paolinus a Sancto Bartholomaeo 俗名 Johann Philipp Wesdin が1790年に著したサンスクリット語文法の一部。グランタ文字によるサンスクリット語の単語、そのアルファベットによる転写、ラテン語による意味、と配列されている。たとえば一行目は sṛsti srszti 創造、被造物、創造されたもの。

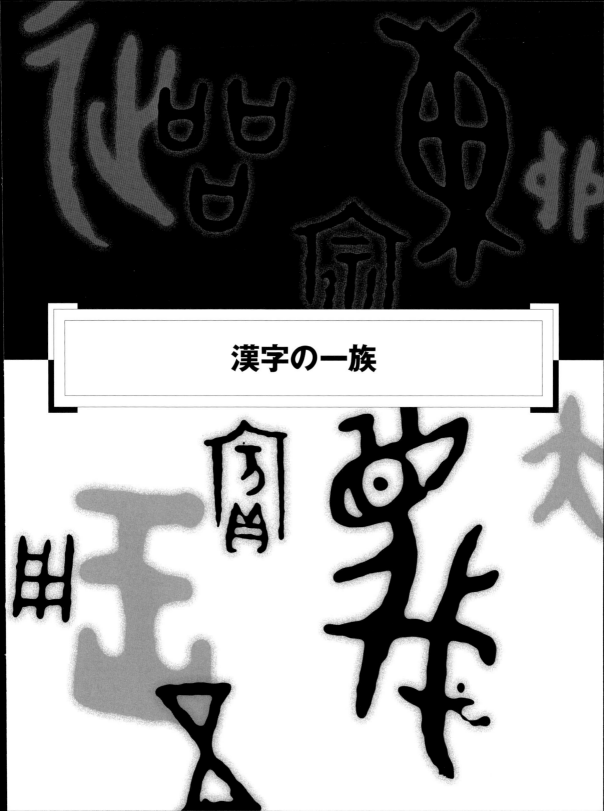

漢字の一族

　南アジア最初の統一王朝がマウリヤ朝第３代の
アショーカ王（在位前268頃〜232頃）によって成立
してから約40年後、前221年にやはり中国最初の
統一王朝が、秦の始皇帝（在位前247〜前210）によ
ってうちたてられます。アジアにおけるこの前３
世紀の２つの歴史的事件は、相互には直接関係が
ありませんが、その後のインドと中国における文
字の歴史においてスターティング・ポイントとな
った点では共通しています。アショーカ王碑文に
刻まれたブラーフミー文字はインド系文字の祖に、
始皇帝が度量衡とともに統一した文字、小篆（しょうてん）、
は以降の漢字字形の原点となります。
　漢字書体史的には小篆から隷書（れいしょ）が生まれ、隷
書から楷書へ、さらにそれをくずした行書、また隷
書をくずした草書が生まれます。小篆以前の甲骨
文字や金石文そして現在の中華人民共和国の簡体

字なども考慮すると、時代を追うごとに装飾性が
増したインド系文字とは逆に、漢字は基本的に字
形簡略化の道を歩んだ文字といえます。
　漢字は、中国語とセットとなって東アジア周辺
諸国に中国の政治制度や文化とともに伝わります。
中国語とそれを表記する漢字の知識は、おそらく
最初は外国人（日本では大陸や半島からの渡来人・帰
化人）が専らとしていましたが、後に現地の支配
者層・知識人層にとって必須の学習科目となって
いきます。このことが漢字に対する規範意識を強
める一方、各民族固有の言語を表記する工夫へと
つながったと考えることができます。
　漢字の構成原理は、漢字が伝播した各地域で独
自の国字（疑似漢字）を生み出します。たとえば
「峠」、「鰯」、「働」などは日本で作られた国字です。
　日本や朝鮮で作られた国字はわずかですが、ベ

トナムで生まれた一種の国字であるチュー・ノム（字喃）は、文学作品を残すほどの表記法となった特異な存在です。チュー・ノムの発生については諸説ありますが、漢字に造詣の深いベトナム知識人の間に自然発生したことは確かなようです。発生の時期については、中国の直接支配からの脱却（10世紀）や、チュー・ノムのベースとなるベトナム漢字音の成立（8、9世紀頃）などの根拠から推測する説が有力です。また10世紀から13世紀にかけて中国周辺の東アジア地域で生まれた各種民族文字（遼の契丹文字、西夏の西夏文字、金の女真文字など）の流れの中でとらえる考え方もあります。しかしベトナム人が自国語を表記するために考案したチュー・ノムはついに正式な正書法として定着することはありませんでした。20世紀のはじめまでベトナムの正式文書は漢文でありつづけ、その後ラテン文字を改造した現代正書法が採用されます。

中国語と漢字のセットを受容した日本では、やがて日本語の表記に漢字の表音性を利用する真仮名（万葉仮名）の用法を考案します。その後平仮名が真仮名の字画全体を草書化して作られ（たとえば「加」から「か」）、片仮名が真仮名の字画の一部を省略して作られた（たとえば「加」から「カ」）ことはよく知られています。文字の伝播とその字形の変化という意味では、仮名文字も漢字の系譜の延長上にあるといってもいいかもしれません。また後代成立した仮名文字の配列表である五十音図がインド系文字の配列にもとづいていることを考えると、仮名文字は数奇な運命をたどった文字の１つであることにまちがいないでしょう。

（町田和彦）

<table>
<tr><td>

漢字
汉字
ハンツゥ

</td><td>

中国語
汉语
ハンユィ
シナ・チベット語族

</td></tr>
</table>

中国は約13億の人口を擁する多民族国家で、チベット族、モンゴル族、ウイグル族など50以上の民族が暮らしています。私たちが「中国語」と言うとき、人口の90パーセント以上を占める漢族が話すことば「漢語」を指しています。漢語は、中国大陸、台湾、香港、マカオなどのほか、海外で暮らす華僑及び中国系の人々によって話されており、使用人口は約12億と推定されています。

中国は日本の20数倍、ヨーロッパにも匹敵する面積があり、北京語、上海語、広東語、福建語、客家語(はっかご)など、多くの方言があります。方言間の違いも大きく、方言が異なれば互いに全く通じないこともあります。方言の壁を越える規範化の取り組みは20世紀初頭からありましたが全国的な取り組みにはならず、中華人民共和国成立後1955年になってから漢族の共通語として"普通话"(普く

通じることば、の意。"话"は"話"の簡体字)が定められました。"普通话"は、北京語の発音を標準音とし、北方方言を基礎方言とし、模範的な現代口語文の著作を文法の基準にする、と定義されています。これ以降、"普通话"の普及が強力に推進され、漢族だけでなく、少数民族も含め、すべての人々の共通語として学ばれ、話されています。

中国語は表意文字である漢字で表記されます。漢字は少数の例外を除いて、「形・音・義」つまり、文字・発音・意味の3つを兼ね備えています。漢字は3000年以上もの歴史があり、字体・字形も時代につれて様々に変化してきましたが、漢字が「形・音・義」の統一体であるという特徴は変わっていません。

中国では清末以降、漢字の簡略化、異体字の整理が様々に取り組まれてきましたが、とくに人民

中国共産党中央委員会機関紙『人民日報』(2009年4月2日)。見出しの"金融峰会"は「金融サミット」、"奥巴马"は「オバマ」(アメリカ大統領)。

丁玲の作品『太陽は桑乾河を照らす』の表紙。漢字簡略化の前と後の版本。

共和国が成立してからは、漢字簡略化は国家の政策として強力に進められました。1956年公布の『漢字簡化方案』で漢字の簡略化が行われ、1964年には『簡化字総表』が発表され、その後調整を経て現在2235の簡略化された漢字が正式な漢字として定められています。簡略化された漢字は「簡体字」、簡略化前の漢字は「繁体字」と呼ばれています。台湾、香港などは、現在も「繁体字」を使用しています。

	簡体字	繁体字
飛行機	飞机	飛機
中国語を学ぶ	学汉语	學漢語

　漢字の数はどれくらいあるのか、正確なことはわかりませんが、1986年に出版された『漢語大字典』には5万6000余の漢字が収められています。もちろん、日常的にはこれほど多くの漢字を使うわけではありません。1988年公布の『現代漢語常用字表』には、常用字2500字、次常用字1000字が選定されています。同表の「説明」によれば、200万字の言語資料を対象に調べたところ、この常用字2500字で97.97パーセント、次常用字も含め3500字で99.48パーセントがカバーされていたとのことです。

　次に、発音についてですが、中国語では漢字1

请讲普通话
QING JIANG PU TONG HUA

“普通话”普及のためのプレート。「普通話」を話してください」。

福を招くために旧正月に扉や壁に貼られる「福」の文字。時には写真のように「福」の字を倒（さかさま）に貼る。「倒」は「到」と同音（dào）で「福、到る」の意。

字が1音節で発音され、それぞれが一定の高低アクセントを備えています。この高低アクセントを「声調」と言います。発音を表す方法は昔から様々な工夫がなされてきましたが、現在では1958年公布の『漢語拼音方案』（拼音とは音を綴り合わせる、の意）に従い、ローマ字によって漢字音を表しています。この方式による漢字音の表記を「ピンイン表記」、表記に使用される文字を「ピンイン字母」または「ピンイン」と呼んでいます。「声調」の数は方言によって異なりますが、"普通話"は4つの声調があり、これを「4声」と言います。第1声は高く平ら、第2声は一気に急上昇、第3声は低く平ら、第4声は一気に急降下の調子で発音されます。4声のほかに軽く短く発音されるものがあり、これを軽声と言います。声調は母音の上に付けられる声調符号（軽声は付けない）で示されます。たとえば、"妈 麻 马 骂 吗"の発音は第1声から第4声・軽声の順で"mā má mǎ mà ma"のように表記されます。

　中国語の文法的特徴は、文法的関係が主に語順により表されることです。基本的な文型の語順は「主語＋動詞＋目的語」です。「私」「あなた」「彼」を意味する人称代名詞"我 wǒ（ウォー）"、"你 nǐ（ニィー）"、"他 tā（ター）"、「愛する」を意味する動詞"爱 ài（アィ）"を組み合わせると、

"我爱你"（私はあなたを愛している）
"你爱我"（あなたは私を愛している）
"你爱他"（あなたは彼を愛している）
"他爱你"（彼はあなたを愛している）
"他爱我"（彼は私を愛している）
"我爱他"（私は彼を愛している）

という文ができますが、ごらんのとおり、英語などに見られるような格変化や動詞の変化はありません。意味は語順によって決まります。このような特徴により、中国語は代表的な孤立語であると言われています。

（小林二男）

漢字とかな文字

カンジ　ト　カナモジ

日本語

ニホンゴ

系統不明

現在世界で話されている言語の数は千数百とも数千とも言われますが、使われている文字の種類は数百しかありません。もともと文字をもたない言語は他から文字を借りることが多いのですが、表音文字のローマ字は、いろいろな言語に広く借用された文字の代表例でしょう。

日本語はというと、中国から漢字という表意文字を借用する一方で、漢字の一部を使って独自に表音文字である仮名文字（ひらがな、カタカナ）を創案し、それらを組み合わせて使用する世界でもまれな言語の一つです。金田一春彦氏によると、表音文字と表意文字を混ぜて使用するのは日本の他には韓国だけということです。

近年、韓国も北朝鮮も漢字の使用を控え、表音文字のハングル文字を主に使用しているので、両方を組み合わせて使用する言語は世界で日本語だけということになります。ちなみに、「五十音図」は仏教伝来とともに日本に伝わった古代インドの文字の配列がもとになっているそうです。

日本語の文字表記にはいくつか特徴があります。一つは、日本語表記に使われる漢字が「音読み」と「訓読み」の二層的な発音体系をもつことです。日本語を母語としない私のような外国人には、一つの漢字で複数の読み方を覚え、熟語の中でその

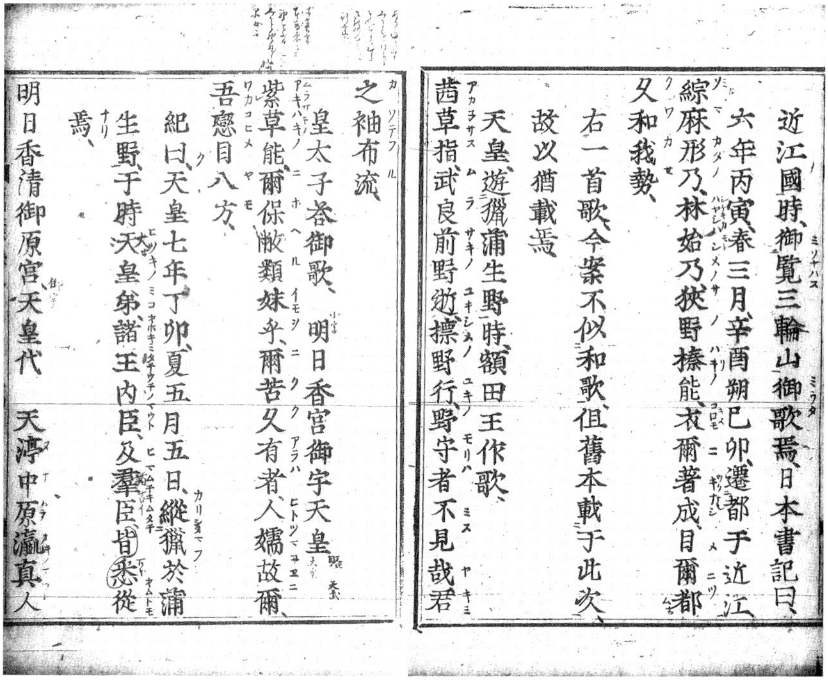
近江國時御覧三輪山御歌焉日本書紀曰
六年丙寅春三月辛酉朔己卯遷都于近江
綜麻形乃林始乃狹野榛能衣爾著成目爾都
久和我勢
右一首歌今案不似和歌但舊本載于此次
故以猶載焉
天皇遊獵蒲生野時額田王作歌
茜草指武良前野逝標野行野守者不見哉君
之袖布流
皇太子答御歌　明日香宮御宇天皇
紫草能爾保敝類妹乎爾苦久有者人嬬故爾
吾戀目八方
紀曰天皇七年丁卯夏五月五日縱獵於蒲
生野于時天皇弟諸王内臣及群臣皆悉從
焉
明日香清御原宮天皇代
天渟中原瀛真人

『万葉集』巻１より。額田王と大海人皇子の歌が万葉仮名で表されている。（国立国会図書館所蔵）

適切な読み方を選択するのは困難です。二つ目は、かな文字がローマ字と違い、たとえば「か（ka）」や「き（ki)」のように子音と母音が合体した単位（音節）を書き表す音節文字であることです。三つ目は、外来語と和語や漢語を区別するためにひらがなとは別に、カタカナという音節文字も使うことです。これは現在主に外来語を表記するのに使われますが、同じ音節文字を2種類も使う言語は、おそらく日本語以外にはないと思います。四つ目は分かち書きをしないことです。分かち書きに慣れている私たちにとって、分かち書きをしない文字はかなり読みづらいものです。

　そして最大の特徴は、文字を読まずに「意味」が通じるという表意文字をもつことです。これは、表意文字を知らない者にとってはなかなか理解できません。中国で中国語ができないインド人の私が、漢字による筆談でコミュニケーションがとれたことを話しても、周りのインド人には信じてもらえないのです。なぜなら、インドの公用語の一つであるヒンディー語とパキスタンの国語であるウルドゥー語はそれぞれ異なる文字で書かれるので、双方の文字が読めない限り内容は理解できませんが、語彙や文法の面において非常に似ている

ため、話せばお互い十分コミュニケーションがとれます。日本語と中国語はその逆で、話が直接できなくても、漢字で書けば十分コミュニケーションがとれるわけです。

　また、漢字のおかげで日本語は「斜め読み」が可能で、意味伝達・意味処理が素早くでき、漢字の様々な組み合わせによって新たな単語も自由自在に作れます。表音文字では長々と書かないと表せない意味も、漢字の組み合わせによってコンパクトに伝えられますし、漢字の二層的な読み方のおかげで「今日」（きょう、こんにち）、「市場」（いちば、しじょう）のように、表記は全く同じなのにもかかわらず、読み方の違いによって、意味の違いを表すことさえできます。

　日本語ではこの3種類の文字以外にローマ字、アラビア数字を合わせて5種類の文字が使われますが、日本語はこれらを本当に巧みに使い分けています。電話番号など数字を覚えるための語呂合わせは、数字の読み方の二層構造を利用した実に面白いものですし、「創ing tomorrow」のような企業のキャッチフレーズもまた、2種類の文字を見事に駆使したもので、ユニークで洒落ています。

　かつては文字をもっていなかった日本語ですが、後に数種類の文字を取り入れ、それぞれ巧みに使い分けてきた昔の人々の知恵に、私は尊敬の念を覚えると同時に、表音文字しか知らなかった私自身、日本語という万華鏡を通して人間が創案した文字の様々な側面が見えるようになったことを幸せに思います。　　　（パルデシ・プラシャント）

島津重豪筆「ローマ字君が代」。江戸時代すでにローマ字で日本語を記す試みが行われていた。（尚古集成館所蔵）

日本の駅の表示。仮名、簡体字、ハングル、ラテン文字（英語）と各種の文字が記されている。

西夏文字の漢字らしさ

　西夏文字は数ある古代文字のなかでもひときわ人々の関心をひきます。この文字は、現在の寧夏回族自治区を中心として成立した西夏（1038〜1227）で使われていました。ほぼ同時代に創製された契丹文字・女真文字とともに、「疑似漢字」とみなされますが、西夏文字は漢字と字形的なつながりはありません。むしろ、偏や旁といった概念、会意・形声といった造字法が漢字の影響を受けているといえます。

　西夏文字が書き表したのは、チベット・ビルマ系言語に属する西夏語です。他のチベット・ビルマ系言語が、インド系文字、ラテン・アルファベット、独自の文字（トンパ文字やロロ文字など）といった、様々な文字で記される一方、漢字的な表意文字を用いて体系的に表記された言語は西夏語しか確認されていません。文字の系統としても孤立していて、たとえば契丹大字が女真文字に影響したのとは異なり、西夏周辺の文字体系に関わることはありませんでした。

　西夏文字は6000字ほどが作られました。平均的な文字の画数が多いとは一概にはいえないのですが、基本的な単語、数字ですら画数が多いため、非常に複雑な字形と思われがちです。ちなみに一番画数の少ない文字は図①の「人」ですが、この字形は「仙人」など特定の語彙を表すのに限られ、一般的には「人」には図②のように、別な要素が加わった字形が用いられます。

　図③の上段は楷書体による西夏数字の1から10です。ごらんのとおり、互いの字形に共通性がなく、一見、記憶するのが大変な文字にみえます。しかし、すべての西夏文字が精緻な楷書体だったわけではなく、仏典も俗文書も崩し字で書写される場合も多いのです。たとえば、西夏数字の崩し字は図③の下段のようになります。こうなると、案外数字が誤読されることはなく、判別のしやすさのために、西夏文字では意図的に数字の字形を変えていた可能性さえ考えられます。

（荒川慎太郎）

図① 「人」、　　　図② 「人」

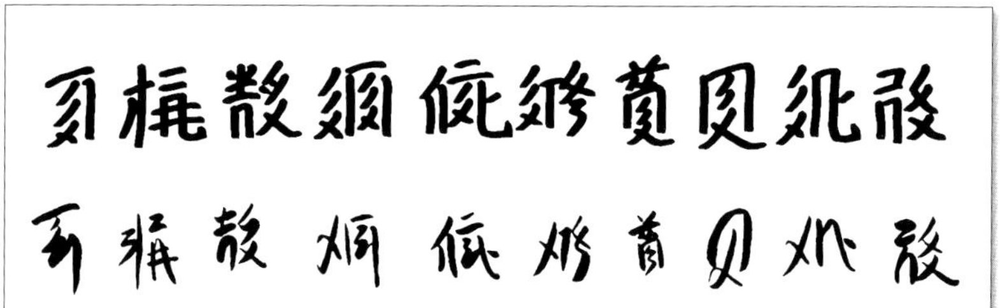

図③　西夏数字「1−10」。上段が楷書、下段が崩し字。

用語解説

屈折語（くっせつご）
文法的役割を語形の一部を変化させて表すような言語。インド・ヨーロッパ語族の古典語ギリシア語、ラテン語、サンスクリット語などは主に語尾が変化する典型的な屈折語です。

膠着語（こうちゃくご）
文中での意味を明確にするために、単語に助詞や活用語尾などの接辞を付けるような言語をいいます。日本語、トルコ語、モンゴル語、タミル語などがこの分類に入ります。

古代セム系文字（こだいせむけいもじ）
前2000年頃シリア・パレスチナ地方で生まれたと考えられる原カナン文字を源とする文字の系統です。主にセム系民族によるセム系言語の表記に使われていました。ギリシア文字やアラム文字のもととなったフェニキア文字も、この系統に連なります。またアムハラ文字（エチオピア文字）の祖である古代南アラビア文字も古代セム系文字の流れを汲んでいます。

孤立語（こりつご）
語形変化がなく、文中の語順で意味が決まるような言語をいいます。中国語、ベトナム語、タイ語、チベット語などがこの分類に入ります。

貝葉（ばいよう）
貝多羅葉（ばいたらよう）の略で、貝多羅ともいいます。かつて南アジアや東南アジアで広く使われた、シュロやヤシの樹木の葉を利用した文書の材料です。この名称は、サンスクリット語でシュロ樹葉を意味するターラパットラ（tālapattra）からきています。葉の表面を滑らかにして横に長い長方形に切りそろえたものに尖った筆で文字を刻みます。その上に煤などの粉末を塗ってから払うと、刻まれた文字の部分が明瞭になります。葉が裂けないように刻んだことで、字形に丸みが生まれました。

言語系統別索引
（五十音順）

言語別索引

(五十音順　その語を主に扱っているページのみを示しました)

執筆者紹介
（五十音順・担当語）

青木エリナ	（あおき・えりな）	フィンランド語
阿部優子	（あべ・ゆうこ）	スワヒリ語
荒川慎太郎	（あらかわ・しんたろう）	［コラム］西夏文字の漢字らしさ
粟屋利江	（あわや・としえ）	マラヤーラム語
石井哲士朗	（いしい・てつしろう）	ポーランド語
石川博樹	（いしかわ・ひろき）	アムハラ語
伊藤智ゆき	（いとう・ちゆき）	韓国語／朝鮮語
井上さゆり	（いのうえ・さゆり）	ビルマ語
上田広美	（うえだ・ひろみ）	カンボジア語
宇戸清治	（うど・せいじ）	タイ語
太田信宏	（おおた・のぶひろ）	カンナダ語
岡口典雄	（おかぐち・のりお）	パンジャービー語
長田俊樹	（おさだ・としき）	［コラム］20世紀に作られたオル・チキ文字
金指久美子	（かなざし・くみこ）	チェコ語
川上茂信	（かわかみ・しげのぶ）	スペイン語
栗原浩英	（くりはら・ひろひで）	ベトナム語
呉人徳司	（くれびと・とくす）	モンゴル語
黒沢直俊	（くろさわ・なおとし）	ポルトガル語
黒田龍之助	（くろだ・りゅうのすけ）	ロシア語
児島 康宏	（こじま・やすひろ）	グルジア語
小林二男	（こばやし・つぎお）	中国語
近藤信彰	（こんどう・のぶあき）	ペルシア語
佐々木嗣也	（ささき・つぐや）	ヘブライ語
塩田勝彦	（しおた・かつひこ）	ヨルバ語
塩谷 亨	（しおのや・とおる）	ポリネシア諸語
塩原朝子	（しおはら・あさこ）	ジャワ語

菅原　純	（すがわら・じゅん）	ウイグル語
鈴木玲子	（すずき・れいこ）	ラオス語
高島　淳	（たかしま・じゅん）	［コラム］サンスクリット文字の不在
髙松洋一	（たかまつ・よういち）	トルコ語
千葉敏之	（ちば・としゆき）	ドイツ語
富盛伸夫	（とみもり・のぶお）	フランス語
永井正勝	（ながい・まさかつ）	［コラム］最古の文字ヒエログリフ
中郷安浩	（なかごう・やすひろ）	英語 ［コラム］英語の広がり
並木香奈美	（なみき・かなみ）	フィリピノ語
西尾哲夫	（にしお・てつお）	アラビア語
丹羽京子	（にわ・きょうこ）	ベンガル語
野口忠司	（のぐち・ただし）	シンハラ語
野津治仁	（のづ・はるひと）	ネパール語
萩田　博	（はぎた・ひろし）	ウルドゥー語
パルデシ・プラシャント	（Prashant Pardesi）	日本語
降幡正志	（ふりはた・まさし）	インドネシア語
星　泉	（ほし・いずみ）	チベット語
町田和彦	（まちだ・かずひこ）	ヒンディー語
村田奈々子	（むらた・ななこ）	ギリシア語
八杉佳穂	（やすぎ・よしほ）	［コラム］暦に多用されたマヤ文字
山下博司	（やました・ひろし）	タミル語
山田桂子	（やまだ・けいこ）	テルグ語
山本真司	（やまもと・しんじ）	イタリア語 ［コラム］古くて新しいラテン文字
早稲田みか	（わせだ・みか）	ハンガリー語

●編者略歴

町田和彦（まちだ・かずひこ）
1951年生まれ。アラハバード大学修士課程修了、東京外国語大学修士課程修了。東京外国語大学名誉教授。専門は南アジア言語学、文字情報学。著書に、『ニューエクスプレスプラス　ヒンディー語』（白水社）、『ヒンディー語・日本語辞典』（編著、三省堂）、『世界の文字を楽しむ小事典』（編著、大修館書店）、『華麗なるインド系文字』（編著、白水社）、『図説　アジア文字入門』（共著、河出書房新社）などがある。

ふくろうの本

新装版
図説　世界の文字とことば

二〇〇九年一二月三〇日初版発行
二〇一四年　八月三〇日新装版初版発行
二〇二一年　一月二〇日新装版初版印刷
二〇二二年　一月三〇日新装版初版発行

編者………町田和彦
本文デザイン………ヒロ工房
装幀………松田行正＋杉本聖士（マツダオフィス）
発行者………小野寺優
発行………株式会社河出書房新社
　　　　〒一五一－〇〇五一
　　　　東京都渋谷区千駄ヶ谷二丁目三二番二号
　　　　電話　〇三－三四〇四－一二〇一（営業）
　　　　　　　〇三－三四〇四－八六一一（編集）
　　　　http://www.kawade.co.jp/
印刷………大日本印刷株式会社
製本………加藤製本株式会社

Printed in Japan
ISBN978-4-309-76297-5

落丁本・乱丁本はお取り替えいたします。
本書のコピー、スキャン、デジタル化等の無断複製は著作権法上での例外を除き禁じられています。本書を代行業者等の第三者に依頼してスキャンやデジタル化することは、いかなる場合も著作権法違反となります。

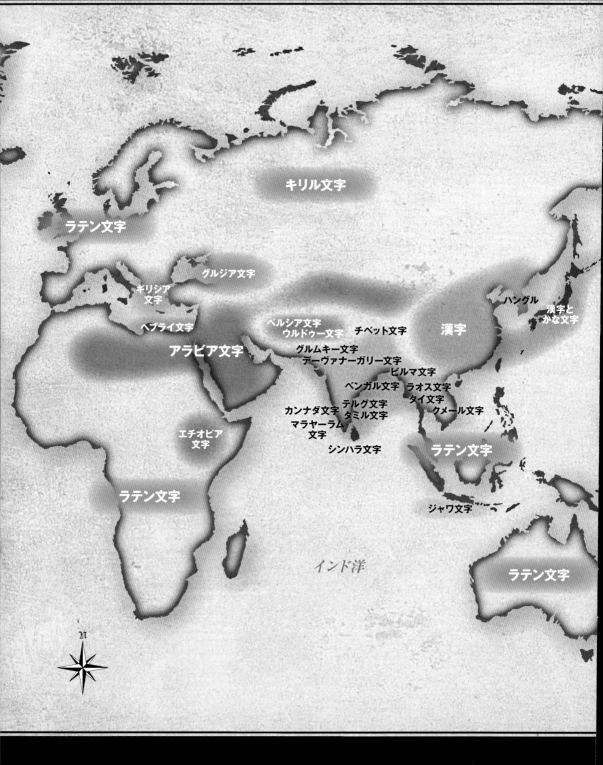